三一教心法

三教心法 / 光月編撰. -- 初版. -- 臺北市：文
史哲, 民 90 印刷
面; 公分
ISBN 957-547-184-9 (平裝)

211.4

三 教 心 法

編撰者：光 月
出版者：文史哲出版社
登記證字號：行政院新聞局版臺業字五三三七號
發行人：彭正雄
發行所：文史哲出版社
印刷者：文史哲出版社
臺北市羅斯福路一段七十二巷四號
郵政劃撥帳號：一六一八〇一七五
電話 886-2-23511028・傳真 886-2-23965656

實價新臺幣四〇〇元

中華民國九十年一月再版

ISBN 957-547-184-9

三教心法　目次

序　琴鶴山人　一

四書說約

四書說約序　光月老人　三

太極統說　七

總論四子書　九

上卷因人問而感觸下卷由己悟而發揮　七七

總結性命不二心法　一四一

附集四書詩　一四三

真傳的旨　**一四七**

阿彌陀佛佛祖序　一四七

太上道祖序　一四七

無量度世古佛序　一四八

嚮月文通古佛序　一五〇

圓通文尼自在眞佛序 一五二
明通昭德自在古佛序 一五四
呂祖三教文 一五九
眞傳的旨卷上 一六七
眞字說 一六七
心字說 一六九
念字說 一七一
意字說 一七三
靜字說 一七五
定字說 一七七
佛法僧三寶說 一七九
淨念說 一八一
修道說 一八二
淡字說 一八四
向道改過說 一八五
驅魔說 一八六
除病根說 一八七

心字体用四言解　一八九
殊途同歸四言解　一九一
大道自然四言解　一九三
訓士六言解　一九四
儒釋一理四言解　一九六
四字眞言　一九七
三字眞言　一九八
六字眞言　二〇〇
眞傳的旨卷二
問先天未發何似　二〇三
問先天既發何驗　二〇三
問大道無爲　二〇四
問行道必先知道　二一〇
問事來時　二一三
問修行人處逆境　二一四
問橫逆之來　二一五
問富貴人　二一六

問士子習道 二一八
問參禪時 二一九
問得先天 二二〇
問道始於一終於一 二二七
問前後皆有穴道 二二七
問修道多有數周天者 二二八
問大道如何能得 二二八
問善功大者 二二八
問明心見性 二二九
問大藥既生 二三〇
問竅中之妙 二三〇
問金丹一粒 二三一
問人皆有佛性 二三二
問習道者 二三二
問靜坐神不守舍 二三四
問神極虛靈 二三五
問向道者亦多 二三五

問玄中妙　二三五
問念一起　二三六
問道中人　二三六
問得藥結胎　二三八
問火候不清大道難成　二三九
問長生之說　二四一
問守中抱一久　二四一
問聖元經要記　二四二
問波羅密第一貴　二四三
問總火候乃無　二四四
問言行總難中道　二四六
問何謂性命雙修　二四七
眞傳要言續刻下卷
問人皆可成佛否　二四九
問七七火候　二四九
問仙佛功夫何分　二五一
問眞藥兄何果過否　二五二

問大藥發動時景象如何 二五三
問何謂五千四八 二五四
問何謂煉虛無 二五八
問火候升降 二五七
問煉精化氣煉氣化神前後功夫如何 二五八
問外丹內丹何內分類空執著何辨 二六一
問何謂形神俱妙 二六四
問靈光靈氣何分七七功夫何用 二六五
問簡便妙法一言以蔽不參他說 二六七
問理與氣何分 二六八
問代傳口訣諸子 二六九
丹語雜古 二七〇
痛懲法語 二八二
勤勉歌體 二九二
久經陶鑄偶發聰明 三〇〇
跋 三〇四

一貫心傳 三〇九

一貫心傳總序 三〇九

反經錄序 三一三

三教合一論 三一七

一貫心傳序 三五三

陰符經 三五七

金剛一貫論 三八一

中庸首章合論 三九一

諫心表 四〇一

學古薪傳 四一五

養性詩 四二一

費隱圈 四二六

補闕樓記 四二七

序

魏君星文。吾鄉好道者也。壬戌之秋。自滬來津出一書以示余。曰三教心法。讀之。三教精奧。靡不詳盡。眞天府之寶籙。瑯環之秘籍也。於是孟君了誠樂山夙具救世熱忱。糾合同志集資翻印。以期續道脈而挽人心。救世之心。亦良切矣。夫天無二道。三教同源。佛老之與儒。雖各有心法。而其所體之道。或曰空。或曰一。或曰中。統而言之一太極。絕不能於太極之外。而別有所謂心法也。我國宗儒教數千年。其間佛老之教。互有盛衰。雖潛移默化。非無補於世道人心。然其書深奧難明。雖上智不能甚解。究不若儒教之書。家誦戶曉。婦孺皆知也。然代遠年湮。所習之業、率皆記誦詞章。以博取利祿。至於精一危微之奧。知言養氣之筌。眞師不出。天機將墜。爲甚可懼耳。是書共三卷。茲獨擇其儒教一卷。原名四書說約。辭近旨遠。深得聖賢命脈。乃多爲印刷以廣流傳。是就人心所素知者。而使之知所不知。復就人心所不知者。而使之歸於眞知。終且至於無所不知。而儒教明。與儒教同源之佛老。亦相繼而幷明矣。此舉一反三之法。望天下讀是書者。勿以偏重儒教見罪則幸甚。

民國十一年壬戌季冬琴鶴山人謹序

四書說約序

予愚人也。應安己分。謹遵人教。何敢自以爲是獨斷獨行顯招矜己傲物之議哉。然人雖至愚。而根覺不薄。幸遇奇緣於意外。得聞大道於胸中。經二十餘年之教化。無理不指明。混六十四歲之光陰。有過能知改。反身用功。除妄去私。漸開塞心之茅。竟成點頭之石。始悟昔年之學問。徒飾其皮面。何殊買櫝還珠。差信今日之功夫。有益於身心。可謂去膚存液。不意有朋遠來。亦欲修身以道。既能不恥下問。何妨推己及人。間嘗聚首談心。不外窮理盡性。有因人問而答者。有由己悟而告者。隨記其語。姑存其稿。詞句不計拙工。義理不嫌重複。祇知一部四書。千章萬句。流傳於亘古而不朽者總是教人。照這書中道理各去存好心。行好事說好話。爲好人不失生初一點善性耳。揆其立言之時原是就理論理。隨便發明自然吐辭爲經豈有意布置。如何承接照應。等於時講之穿鑿耶。故吾讀四子書但觀其命意所在。得意忘言不拘章旨縱橫串合會其精義。借以陶鑄自己並造就同人。雖然零星引來。猶是同條共貫。不似出題截搭且不順理成章。予之私心自用而執一己之偏者。如斯而已經年累月積腋成裘。顏之曰四書說約竊取孟子博學詳說將以反說約之意蓋欲學者守約施博以約鮮失故於四子書中擇其至約者而串說之即孔子以禮約文之道也吾願今之才人學士。

見其稟而原其心。得伸知己。實屬萬幸。更冀斧政。代掩其偏。善補其拙。同心作育英才。於此反求諸身。去夫外誘之私。充其本然之善。只求自心。只明自性。無二無雜。不偏不倚。眞眞切切。了了明明。不惟四書約於一心。卽千古聖經賢傳。亦皆約之而無餘蘊矣。由是成己成人。正己化人。修己安人。爲撐持宇宙之豪傑。闡道救民。豈曰小補。是卽吾之隱衷。吾之願望矣夫。此序。

時

同治庚午午月 至日赤水明圓光月老人自序於知足堂補闕樓中

太極統說

包羅萬古之天地而不壞者。此太極也。生育萬古之人物而不息者。此太極也。貫通萬古之事業而不遺者。此太極也。太極者。即所約之的旨也。說約者。即說此太極也。然太極在陰陽未判之先。渾淪無狀。言無所言。既無所言。而約又何以說。說之者。不過借言以達意。使人得意而忘言。亦如無所言之太極。而強繪一圈以示人也。凡屬人類。無論智愚賢否。初受生時。無不各得一善性。即各抱一太極。衆理畢具。萬事隨應。已立乎天下之大本矣。是故聖賢設教。或以一貫萬。或由博反約。必須本末兼該。決不舍本逐末。後學不知正本清源。專在枝葉上探討。誰不費盡心力。皓首無成焉。苟能會通四書之精德。造到費隱之境地。當是時也。眞超夫天地人物之前。逍遙於二氣五行之外。我已全無。書從何寄。此之謂能化之至誠。凝道之至德矣。若不從虛處存神。終爲官骸所桎梏。限爲凡夫而已。故子思作中庸。始言不睹聞。結言無聲臭。明明將三十三章。約之於太極中。以示大成之止境。茲以太極冠諸首。而約其全卷之所說者。倣此意也。

總論四子書

天不忍道絕人間。特爲道而生孔子。然天雖生孔子以續其道。而不使孔子驟洩其道。又生三大賢以漸發其蘊。則是孔子之傳曾子。如太極之生兩儀也。曾子之傳子思。如兩儀之生四象也。子思之傳孟子。如四象之生八卦也。至孟子則道破天機。如八卦之定吉凶而生大業也。合觀聖賢闡道之言語。足徵天之愛道甚重而不肯輕洩於人。又見天之愛人甚深。而不忍不闡其道也。讀四子書者。須自始至終。通體合看。打成一片。揑做一團。探本溯源。提綱挈領。始悟聖賢教人之眞命脉。即得上天生人之大主腦也。若徒誦章句。徒解書理。而不知修身以道是背聖賢而違天意。斯人也。倘得謂之君子儒哉。

問孟子道破天機。在何章見得。曰如論語大中之言性命。言一貫。言忠恕。言爲仁復禮。言明德至善。言中和中庸。言大本至誠等類。俱以理言道。渾而未露。非上智輩。難以窺測。惟孟子則直指之曰養氣。此非充體之血氣。乃降衷之元氣。故至剛大而配道義。則知孟子之言養氣。即盡心章之存養其心性也。夫養性之法。非自孟子開其端。如堯舜禹之執中。成湯之日新。文武之敬止敬勝。孔子之操存。顏子之拳拳。曾子之慎獨。子思之固執。皆養性之法也。後人拘泥字面。矜持過甚。多犯揠苗之病。遂疑其無益有損。以致性理不明。養氣無人。而放僻邪侈。無不爲矣。

然不養則天性已失士林何以有眞儒朝廷又何以有忠臣彼分關竅用法術者非先天大道與三教之眞傳不合即為異端

集義之義即金剛經如是之謂如是者得宜也合式也此火候之眞傳也集者常常如是也

孟子憂其道之將墜。特顯揭之日。以直養而無害。此一句最宜潛玩。是孟子養氣之善處。一生之長處。掃除外道旁門。點破心傳心法。希聖希賢。修仙修佛。皆不出夫此也。何謂直養無害。不必分關竅。不必用法術。一超直入。就從心地用功。克去一切雜妄念頭。不留一毫根株。以害其剛大之眞氣。則人欲去而天理復。久久不怠。綿綿若存。是謂之集義所生。漸生漸長。遂養成浩氣而塞天地。苟稍雜人心。失其虛靈之本體。便是忘。稍有作為。滯其活潑之圓機。便是助。忘助時神昏氣亂。必不合義而得宜。既不得宜。必行不慊心。心偶不慊。其氣便餒。餒即有害。天下之不受此害者寡矣。

就莫載莫破之言思之足見天下無道外之物以道而論俱屬一體故剛大之氣能塞天地切勿因形質而分彼此

又問孟子既說浩氣難以言語形容。如何能塞天地。曰先天之元氣。本無聲臭可聞。謂爲塞天地者須知天地先得此氣於初判之時。既判而後。即以此氣而生人物吾心之氣。即天地人物所公共之氣也。雖分一端於全體中。即寓全體於一端內。天地之量大。以此氣而散布之。遂充滿於天地。不見其不足。人心之量狹。以此氣而蘊藏之。遂隱括於一心。不見其有餘。故中庸言莫載莫破。配天配地。其淵其天。不特此也。更推之居天下之廣居。與立天下之大本。經綸天下之大經。並天下歸仁等句。俱從心上指出天下。程子亦云。放彌六合。卷藏於密。合而觀之。方寸之中。非與天地同其量乎。故曰塞乎天地。由此類推。則知盡其性。能盡人物之性而。贊化育致中和能位天地而育萬物。與聖人之道。能發物極天。君子之道。能察乎天地亦此意也。

問孟子言不動心之功。在持其志勿暴其氣。似與養氣不同。或有淺深之別歟。曰氣本天性。即心之主也。能養氣。心自不動。非不動心。又是一層工夫也。持其志者。是持守其直養無害之志。而不使有一息之間斷也。勿暴其氣之氣。雖充乎體而屬後天。乃由先天剛大之氣。分散於四肢。本一氣相承。設損後天。即害先天。故又曰勿暴其氣。是保後天以全先天。亦養氣之不可略也。

又問氣既有先後之分。人心中豈不有二氣相離乎。曰實一氣也。在未成形之先。受於天者。其氣最清。及成形之後。已經變化。道心而雜以人心。雖孩提之童。亦生後起之念。其氣漸濁。厥後知識大開。嗜欲薰蒸。其氣愈昏。雖成昏濁之象。而清明之體猶存。如江中之清水。忽濁於方漲之時。仍還清於既漲之後。人苟能善養其氣。濁自變而爲清。何難返後天而還先天。則知人心之氣。乃因清濁而分後先。並非判然兩端也。

又問談性理者。皆言人之氣稟。原有清濁厚薄之不同。因有智愚賢否之不類。由是觀之。先天之氣。亦有不同乎。曰非也。天以一氣生人。即以一理賦人。決無彼此之別。若稍有差等。性必有善有不善。孟子何得言人無有不善。考之經典。詩云天生蒸民。

凡糊不回頭之人均是自暴自棄非天之降才有殊

有物有則。書曰維皇降衷。厥有恒性。易曰繼之者善成之者性。禮云人生而靜。天之性也。俱未言天生人有不同處。況禮已明言。感於物而動。性之欲也。欲之蔽性。此理固顯然矣。然又有爲赤子時。天性未漓。人欲未染。便帶幾分濁氣。更有愚到十分者。亦非氣稟使然。或帶夙孽於前世。或遭餘殃於祖宗。或受邪毒於父母。或轉初刼於物類。或定惡報於冥司。種種孽緣。皆足以蒙蔽其靈性。若能存理遏欲。遷善改過。自能潛消其外來之渣滓。以復其固有之良心。故困知勉行。卒與生安學利同歸於一也。孔子曰。唯上知與下愚不移。非謂天以知愚限人而不可移動。是言上等之人。生來便知本性當保守。斷不肯移於下流。而

發氣之法亦有理氣之分靜極時謂之理因其無氣機之動發動時謂之氣因其有氣息之迹兩項非平對

下流之人。終身甘爲物欲所牽纏自不肯移於上等。故有上知下愚之分。可見天命之性人所同具。皆可爲堯舜。先賢云滿街都是聖人。誠見到之語也。假使初生時便有淸濁厚薄之不同。是上天先以智愚賢否。限定其人。則善者理應爲善惡者理應爲惡天何得賞善罰惡。概論其人。私而不公哉。後儒淸濁厚薄之論由於理氣分看之誤耳。

又問以理與氣分看其病在何。曰由未明夫氣有先後之分。孟子恐人誤認其氣因詳辨其充體之氣。剛大之氣將二氣分得明明白白。剛大之氣純是理人所同也充體之氣參以欲人各異也。後儒未能體會。見人有偏僻之氣遂疑其不合夫性善之

萬物共一春花樣何以不一般否同而質不同也

理。故將理氣分說。理同而氣異。受氣時。各有淸濁厚薄之不同。若舍理而專言氣。理是何物。又寄於何處。天何以與人。人何以受於天乎。殊不知理與氣。二而一也。受氣卽受理。就氣之變化神妙而言謂之理。在陰陽未判之前。尙無氣機可名。亦謂之理。理主夫氣。氣載夫理。非氣之外。別有一個理也。大程子云。論性不論氣不備。論氣不論性不明。朱子亦云。天下未有無理之氣。亦未有無氣之理。理卽在氣中。無氣則理無所寄處。理氣豈可分看乎。

又問天之生人。固無淸濁厚薄之不同。而天之生人物。似有偏全之殊。不然。何以物蠢而人靈。曰天以陰陽五行之氣生人物。

本無安頓之心。却有變化之妙。或變而爲物。因物之蠢而見其偏。或變而爲人。因人之靈而見其全。是人物各成質之後自形其偏全。非天先以偏全分給於人物也。蓋天之生人物。始焉固無心而成妙化。終焉亦無心而施賞罰。栽培傾覆。因物付物而已。設人不盡人道。恃其靈而奸詐百出。失其本心反不如物盡物道。安其蠢而始終如一。不變初性。故物有轉生人道者。人亦有墮落物類者。何分人物。何分偏全。觀其自造何如耳。孔子曰。於止知其所止。人不如鳥。孟子曰。夜氣不存。違禽獸不遠。由此言思之。人可自恃其靈哉。

又問先天之氣。謂爲至大至剛。必有剛大之實際。曰欲知剛大

乾元剛健元剛然也萬物同受此剛健之元氣而生故贊其大

自古大亂俱由人心不正人心不正實由不知養剛大之氣孟子欲正人心隱望人人養氣也

之實際。須體大哉乾元萬物資始之句。則知受生之初。即禀剛大之氣。故謂爲至大至剛。剛爲氣之體。大爲氣之量。第就本章而論。如上節所言養勇好勇大勇。足徵其氣體之至剛也。下文所言塞天地配道義。足徵其氣量之至大也。孟子自言心不動實見其氣之剛。又言養浩然。實見其氣之大。惜乎人人同受此至大至剛之氣。而不知直養無害之法。卒變爲褊狹之氣度。委靡之氣習。驕傲之氣象。卑汚之氣質。種種風氣。釀成乖戾之氣。肅殺之氣。兼召邪教頻來。妖氣遍布。更使人惡氣鬱結。怨氣冲騰。遇此一切不祥之邪氣。閉塞天地之正氣。以致皇天震怒降災下民。罪有應得也。人欲挽回天意。消除刼運。非養其剛大之

古今來許多智人做出至愚之事由心不知正邪氣使然莫不由自主

氣。以正人心。豈能格天乎。

問氣稟與氣質有分辨否。曰氣稟者五方之地氣不同。風氣亦異。且宇宙邪正之氣相夾雜。息息與人相感通。能正其心者邪固無從而入。不知正其心者。每應念而來。人不知覺故所稟之氣。各有不同。知愚賢否。亦由此而分。此又氣質之外感。切不可誤認爲天地生人之氣。若氣質則不然。受剛大之氣成質而後質之中有心肝脾肺腎分具火木土金水而爲五氣。此五氣由陰陽二氣而生。二氣又由先天剛大之氣而判。變化已經數番。大異乎受氣之初。渾樸無識。知覺既開。凡情多好。小能奪大天君失權。故謂爲氣質之性。而又加以外秉之氣。愈濁而不清。

强分南北

習俗移人

心正召正心邪召邪

飲食之人養小失大故聖賢皆以淡泊明志

佛經所謂阿耨多羅三藐三菩提心皇經所謂天地未根日月未光道經所謂有物混成先天地生三敎俱從先天論道

衆所食諸味。暗助血氣。多生邪火。其氣必燥。而欲念易生。合內外而論。種種魔軍。最難降伏。故克己用克字。格物用格字。內自訟用訟字。攻其惡用攻字。若不用全力手段。則志不能帥氣。正不能勝邪。終難去其舊染之汙。而復其淸明之體。有志修身者。當勉力爲之。

閒嘗觀經傳。惟易獨言先天。外此未聞有言及先天者。此何故也。曰盍觀孔子云。中人以上。可以語上。中人以下。不可語上。上智無幾。故罕言先天。然窮究夫理之精微處。未有不從先天說來。如允執之中。未發之中。以及淵淵浩浩。無聲無臭。止至善。盡其心。文之穆穆。堯之蕩蕩。並聖人所不知所不能。與不可知之謂神。至誠之能化如神等處。俱指先天而言。不過未露字面耳。蓋先天之道。渾淪無際。虛涵一炁。猶火之蘊石內光之容鏡中。有若無。實若虛。易所謂太極周子所謂无極而太極也。天得此而開。始有天之象。凡天之時行物生。循環不窮者。不過順其先天之氣耳。（乾以易知坤以簡能易則易知簡則易從）並不費一毫加減之力。不着一毫布置之意。承上起下。天亦過脉耳。則知人爲天之子。天又爲先天之子也。故易曰。先天而天弗違。不意後之談道者。竟舍却先天而專言後天。無本之學問。得此失彼。掛一漏萬。安得爲盡性至命之完人耶。

問性命如何分別。曰性即是命。原非兩端。雖屬一串。亦有微分。虛極靜篤時。渾然天理。無可名狀。謂之性。至於用力之久。靜中

佛家以命鍊成不壞金剛道家以命煉成九轉金丹

忽然一動。卽剛大之氣。初發之端倪。謂之命。故易言盡性以至於命。孟子言知其性則知天。子貢言性與天道。皆從性中指出天命。是命乃性之發見處。性乃命之未發見處。二而一也。然性易知而命難知。孔子言五十而知天命。又曰不知命無以爲君子。知非僅知其理。必眞見得天之所以與我者。確確有據也。命卽人之良貴。存之爲仁義禮智之德。發爲子臣弟友之道。爲天地立心。爲萬物立命。以此而立之也。繼往聖開來學。以此而繼之開之也。歷代聖賢長存於兩間。以此而長存也。厥初生民。輪迴於萬劫。以此而輪迴也。奈人人有性命不能養。性尚不知。安知命耶。

靜極時便是先天即未發之中習玄者習此也止至善者止此也

問美大聖神。究難領會。日造到如此境地。與見而盎背。居安資深。以及定靜安慮高堅前後。形著動變。並博厚高明等語。皆養性熟極之後。各有心得。乃能形容神化無方之妙境。層出不窮之樂趣。惟個中人始知。豈足爲外人道哉。合數章而總論之。非各有功效之不同。譬之千人一題。花樣雖異。無非發明此一題耳。但其中有詳略隱顯之別。惟孟子之言美大聖神最詳最顯須先着眼充實二字。充實者何。浩然之氣也。大聖神俱由充實之美。層層變化到極處。而功夫原無次第。不過直養無害。靜以俟之而已。再將四者詳言之。充實之謂美者。如易云美在其中。暢於四肢。發於事業。即道門之得藥結胎。充實而有光輝之謂

大化之聖機暢神流全無沾滯心化而身未化不知之神知往察來無半點差謬神化而形與俱化

大者如文之緝熙堯之光被四表。即佛家之頂上圓光。大而化之謂聖者。如子思所云動則變。變則化。即道門之九轉丹成。聖而不可知之謂神者。如子思所言至誠如神。即道門之形神俱妙。孔子曾贊老子猶龍。變化莫測之謂也。美大聖三層儒家能(美大聖神四層即道言煉精化氣煉氣化神煉神還虛煉虛體無之謂)造到神通一境。非兼釋道不能。故孟子於聖之外而更進一步。(道隱無形無所用其知能)此番妙處。即中庸所云。及其至也。雖聖人不知不能。後儒未悟。多將聖與神說做一層。與孟子言四之下顯列四層不合。非悟通三教者。豈能分辨哉。

又問氣如何得充實。曰可欲之謂善。有諸己之謂信。即充實之功。何也。人能念念欲善。便是集義所生。直養無害。日積月累。自

百姓日用而不知故君子之道鮮矣

亂世之人情求其踐形如聖人者固不可得能踐四五分亦是上等人

信其有諸己。而充實其浩氣也。

問天性具於心。何言形色皆天性。曰耳目口鼻一竅耳。何以各極其妙而有無限之靈機。兩手雙足一物耳。何以恰如其心而無絲毫之差謬。蓋由先後天一氣相連。運動處即含知覺。故孟子又言施於四體不言而喻。亦是明其五官百骸皆隨天性自然之流露。始悟曾子之戰兢。非徒保其手足。顏子之四勿。非徒謹其耳目身口。俱所以全天性而踐其形也。世人不知修身之道。每變天性而爲人欲。面雖有色。非根心而生。粉飾張皇。每出於襲義。和平中藏殺機。善觀人者即一笑貌間。如見其肺肝。身雖有形。非由德而潤。進退周旋。每出於矯情。官骸內同傀儡。善

盡心者盡去其人心而道心自現故知性知天

掩著者即一舉動間自繪其奸險斯人縱享大富大貴得名得壽。有形色而無天性貌似人而心非人。醉生夢死亦行尸走肉之類耳。虛生人世辜負維皇降衷之深意。良可惜也。

問盡心章心性天命四字。如何分解。曰當鎔化一爐煉成一物方不支離。夫性命原具於心。就渾然而言謂之性。就發見而言謂之命。並非兩端。前已說明。人之性命。即天之理也。心能盡夫天理之極。而無一毫人欲之私。斯時正天命之性也。知性即知天。原無兩層。然心如何得盡到極處。非存養不能。故又指出存心養性之功。養到盡其心時。雖知性天。尚屬渾然。而命猶未發見。務要久行不怠。俟靜中養出一個端倪。而命始立矣。凡孟子談性理處。無不明顯。而於此尤加精詳。從未盡心前。推出存養之功夫。天人合一之道理。於盡心時。點出性天之本體。於盡心後。又指出立命之的旨。層層撥清。毫無隱諱。而學者多未能會通心性天命是一貫之道。各立一番見解。使人無從入門。老死句下而已。

又問盡其心與盡其性有別否。曰盡心時則知性。盡性時則知命。先盡心而後盡性。盡心時是念絕而心已靜。盡性時是靜極而身已忘。由淺入深也。

又問存其心與養其性有別否。曰存是放心將收之初。養是放心已收之後。存有意而養無意也。

古今不得爲君子者皆屬氣質之性與氣數之命所

又問立命之後。更有進境否。曰且無論立命後而立命中還有層級當分。由一陽而遞至少陽老陽。如春之經孟仲季而氣始足。如孟子所言盎背施體。與充實光輝。皆屬立命中之進步。至若不言而喻。與大而化不可知。皆屬立命後之神妙。未立命之前。自無而有。既立命之後。自有而無也。

又問徹始徹終。如何循序用功。曰時時刻刻。不離存養之功。日就月將。聽其自然之效。不必畫蛇添足。自惹煩惱。反生意魔。此是三教傳心之妙訣。有志養性者。切勿悞入小術而壞大道也。

問口之於味章上下節性命何分。曰上節性也之性。指氣質言。下節命也之命。指氣數言。衆人錯認爲生初之性命。上節有命

蒙蔽若能認定生初之性命以理制欲何難爲個完人

之命。與下節有性之性。乃指生初而言。故君子不以衆人所謂之性命爲性命。而以生初之性命爲性命。人能以生初之命爲主。必不縱氣質之性。而貪五者之欲。以蔽其明德。更能以生初之性爲主。決不諉氣數之命。而失五者之理。以虧其本心。上一節教人存理遏欲。下一節教人明善。復初要不外保厥天良。以全其人道焉。

又問上節有命之命。與下節有性之性。俱屬生初。何必分說。曰對性言則曰命。對命言則曰性。互文耳。不必拘泥

問良心一放。不過念頭雜亂。何言猶斧斤之於木。如此其甚。曰汝未知良心爲何物。徒空言其大槪耳。須看下文夜氣即良心

也。一點靈機。虛含竅中。心放則散。散則心死。較斧斤之伐木爲更利。故孟子一云放其心而不求哀哉。再云曠安宅而弗居哀哉。深哀其世人。日受此無形之斧斤剝喪元良。虛留官骸。而與禽獸不相遠。是以直捷指之曰。學問無他道。求其放心而已矣。

又問心何以見其放。曰念及於某人。則心放於某人。念及於某事。則放心於某事。念及於某物。則心放於某物。念及於千里外。則心放於千里外。念及於百世上。則心放於百世上。凡念所及處。卽心所放處。捫心自思。念無片刻不動。匪特旦旦伐之。且刻刻伐之。夜氣尙存乎。良心猶在乎。違禽獸豈遠乎。

又問放心何以求。曰試觀孔子之言操存。卽示以求放心之眞

打轉念頭收回卽天民也後之學人用了多少冤枉氣力竟無益於身心

訣也。操者教人收歛精神。凝聚一處。則心自存而不放。非緊緊擒住使之不動也。心初放去。打轉念頭。便是收回欲仁斯至。毫不費力極容易。極便捷。此等功夫許多學人。孟浪一生。未曾片刻用過。自不省察。並不知其心放。又安知求放心。放心不求。好人從何處做起。君子從何處得來。

又問孟子言學問之道無他。求其放心而已矣。未必求放心之外遂。無學問乎。曰此一句斷定許多疑案。打破許多理障。掃盡許多浮詞。闢盡許多僞學。照此一句用功。包羅萬象。故程子曰聖賢千言萬語。只是教人將已放之心。約之使反復入身來。自能尋向上去。下學而上達也。

堯舜執中之道與孔子一貫之道隱而難言特就孝弟忠恕以發其道如借鳶魚以徵費隱之道

又問此外既無學問。何以孟子又言堯舜之道。孝悌而已矣。曾子亦言。夫子之道。忠恕而已矣。人能盡孝弟忠恕。亦是學問。亦足以包括一切。何必拘執求放心之句。曰孝弟忠恕之道。是良心發見之實效。若徒從此處下手。時而天理。時而人欲。不能為全德之人。故堯舜孔子。先以執中操存為學問。心不外放。自然由孝弟忠恕。達之於萬事萬物。而推行無不盡利。兩賢口氣將聖道說得極其容易捷便者。對曹交門人而言。恐畏難苟安。特淺淺說來。善誘以入其道耳。合三項觀之。求放心是養性之全功。孝弟忠恕。是天性發出之首端。須將體用分清。方能貫通無疑。後學多把而已矣三字看死煞了。遂謂孝弟忠恕之外無道。

性統天地豈特萬物

佛家所謂應無所住而生其心道經所謂玄之又玄釋經所謂心若太虛

推之孝弟爲仁之本。忠恕違道不遠等句。於理有礙。怎講得去。

問萬物皆備於我。從何見得。曰汝未反身而誠。固不知其樂。亦未强恕而行。更不知其仁。樂也仁也。即萬物與我同得之天性也。先儒云。天下無性外之物。亦此意也。奈人不明此理。只知血肉之假身是我。而不知我身之中。更有眞我者。天性是也。既不以天性爲眞我。則現備於我者。備猶未備。何言萬物皆備。人當急急尋樂求仁。方知我之眞處。卽物之同處也。

問孔子既絕意必固我四端。中所存者何心。曰此正孔子盡性之時。深造夫先天之極處也。毋意者。何思何慮。寂然不動也。毋必者。不期其效。聽其自然也。毋固者。靈機活潑。魚躍鳶飛也。毋

惟到盡性之極處方見三教合一之的處

佛言空道言虛即儒之言絕也

我者。神遊象外。道㷀獨存也。到此地步。形骸已忘。與天地同流。豈猶有心乎。明道先生云。天人本無二。只緣有此形體。便與天隔一層。除却形體即天也。形體如何除得。但克去有我之私。便是誠哉是言。眞過來人也。又問如此說來。四毋字宜用虛無之無。或有錯訛。曰非也。毋與絕有始終之分。毋者涵養之初。四端間發。固宜用意禁止。絕者四端消融。不待有意隄防。由克治而歸於純熟也。

又問養性時固如是。應事時能絕否。曰應事時亦能絕。泛應曲當。不假安排。何意之有。成敗聽天。但求無愧。何必之有。認理圓通。不執己見。何固之有。天下一家。中國一人。何我之有。體如是

前著諫心
表有二語
但求將我
祇忘却惟
恐把君奈
不何

而用亦如是。顯微豈有二致乎。

又問四者有輕重否。曰惟我念最重。意必固三者。皆從我念而生。人能忘却夫我。則恬淡無欲。萬事皆空。百慮胥捐。金剛經云。（佛菩可聞。孔子曾云。西方有聖人）若菩薩通達無我法者。如來說名眞是菩薩。又云若復有人。知一切法無我。得成於忍。此成佛之妙法。即作聖之心法。故四者以我空絕之。

問性情才三者何分。曰此原無可分。就性之發動而言謂之情。就情之擴充而言謂之才。才為良能。情為良知。皆本性所流露也。如見急難人而發一憐憫心。則為情。設法以救濟之。則為才。才所以申其情。情所以達其性。才也情也。合而言之性也。

無識者認詭計爲聰明把奸雄當英雄

又問才既主於作用。善固才爲之。不善亦才爲之。並無二才。何言爲不善非才之罪。曰欲明才之非罪。須知性之本善。才出於性。性善才亦善。豈有種瓜而不得瓜之理乎。不意人性皆善。而所爲竟多不善者。實由陷溺其心。氣質主事。强天性之才智。而爲人謀之詭計。無異使水之過顙在山。逆其性而不得就下。則是不善之爲。當歸咎於後起之氣質。何得諉罪於本來之天才乎。

又問此才字。與天之降才。未嘗有才之才同否。曰同一才也。皆指本性之靈而言。人不率性。誤用聰明。而參以法術計巧。即孟子所惡以鑿爲智。而不知以利爲本者也。夫孟子於性善之說。

荀卿言性惡楊雄言善惡混韓文公言三品諸子豈未讀孟子書乎豈識見高於孟子乎由未用功養性故不知本性之善誤認氣質之性為性此皆告子之流不可妄信

當今之皆勝過楊墨告子百倍未知誰為孟子天既愛古人不恐為貪賤

大費周旋。當合下二章參看、方見苦心、不必逐句以解其義。姑舉大致。以達其意。蓋性本難言、善何由見、乃就惻隱羞惡恭敬是非之至情。以驗仁義禮智之善性。其理已彰明較著矣。而猶恐人不深信。愈起紛紛之議。一引天生蒸民、有物有則。再言非天之降才爾殊。見得性爲天所命。天以愛人爲心、豈以不善與人哉。一言聖人與我同類。再言聖人先得我心之所同然。見得性與聖人相同。人皆可爲堯舜。豈有性不善之人哉。一喻以麰麥。再喻以牛山。見得人爲萬物之靈。物尚有自然之理。人豈無至善之性哉。一言足與口相似。再言耳與目相同。見得形骸之屬。皆有同性。而人心之靈。豈有異性哉。一引孔子贊詩之詞。再

而生大賢以除其害豈不愛今人忍視爲禽獸而不生除害之人耶願斯民早出救中於水火

引孔子操存之語。孔得性善之論。適合孔子。豈一己之偏見哉。合而觀之。孟子之曲通旁引。反覆詳說者。無非望人存養其浩氣。而復全其善性也。故於牛山章。點出夜氣。與得其養數句。滿腹深情。畢露於此矣。假使當日無孟子性善之定論。不僅楊墨之害仁義爲可憂。而告子之禍仁義更足患。以訛傳訛。莫知所宗。後世之人。求其遠於禽獸者鮮矣。大哉孟子之功。眞不在禹下也。

又問人皆可爲堯舜。何以古今來得爲聖人者無幾。曰人本不難爲聖人。不難中而有至難之弊。何者。凡塵世貪名利酒色之徒。夢夢過日。以苦爲樂。如糞池之蟲。嘗穢物而美其味。此等人固卑卑不足道。又有等明知身外塵緣爲殺人利刃。而甘願作刀頭之鬼者。並置之不論。間有超羣絕俗之英才。立志爲君子。存心學聖賢。有因得富貴而迷其心者。有因處貧賤而改其節者。有因遭變故橫逆而退其志者。善始不善終。究雖爲上等人。更有具大超脫大力量之豪傑。打得過一切大關頭。惜其誤入旁門小術。不知存養之妙。終屬異端。難入聖域。尤有得其門而不能窮其理者。只知文章。未明性道。抑有窮其理未看圓通者。只求高遠。不悟平常。過與不及。俱不得大中至正之道。且有得其心法。而難獲效驗者。或根基太淺。或染慾已深。或功德尚少。或隱惡甚重。多遇魔障。安成大道。有等用其功而已獲其效者。

仁義禮智不待求而常發惜其隨發隨滅不知擴充耳

不能固執。旋得旋失。卒難充實。有等充實者。或爲災病所纏。或爲氣數所阻。充實而少光輝。縱有光輝。而未造夫聖神之極。譬如爲山。功虧一簣。種種弊端。皆不難中之至難者也。然不難者天道也。而至難者人事也。天非限以難。而人自處於難。苟能立至死不變之初志。何難爲盡性至命之人。縱不能出類拔萃。決不肯同流合汙。或盡忠孝。或保廉節。或爲端人正士。尚留正氣還天地。去聖不相遠矣。奈何人多舍固有之善性。而弗思。徒飽救饑之漏脯。而尋死也。可歎可歎。

又問性善固人所同具。而復性豈人所同能乎。曰勿看難了。盍思孟子求則得之之言。一求便得。得則無異於聖人。我能得善性於一時。則爲一時之聖人。得善性於一日。則爲一日之聖人。能終身不失此善性。則終身爲聖人。蓋善性非外鑠。我所固有。如囊中之錢。用之甚便。何難之有。特患人不求耳。孔子云欲仁斯至。顏子云有爲若是。俱有明徵。聖賢豈欺我哉。然得雖不難。而難於有恒。故孔子曰。善人吾不得而見。得見有恆者斯可矣。又曰人而無恒。不可以作巫醫。不恒其德。或承之羞。吾觀今之養性不成者。鮮不中此弊也。

問告子言生之謂性。似與理相合。若生非性。性從何而來。而孟子第以牛犬詰之。未辨其生不謂性之所以然。請詳示之。曰告子之言。在是非可否之間。含糊未明耳。以率性之聖人而論。形

人之生也直，生可謂之性，罔之生也幸而免，生不可謂之性

牛犬與人性不同，猶在成質後，論受氣之初，何分人物

色皆天性。始可言生之謂性。若常人則不然。受生之初。純是清明之體。則可謂即生即性。既生以後。參以駁雜之偏。則僅可謂之生。所性不存。食粟而已。生何得謂之性。猶杞柳之爲杯棬。雖出夫杞柳之本質。而未順夫杞柳之本性。安得謂杯棬即杞柳耶。乃告子竟不分何如人。（成質。後人與人各一性。何況五大）意以爲凡有生者。皆謂之性。如白物均謂之白。信如斯言。則牛犬與人同其生。即同其性。有是理乎。姑勿論牛犬。凡古今作奸犯科。無所不至之惡徒。皆有生之人。未必皆盡性之人。其理愈不通。即生即性。不擇其人。是告子千錯萬錯之病根。由不知先天後天之分。誤以生爲性。因有杞柳湍水。甘食悅色。與仁內義外一切妄談。認賊爲主。死不招供。反

盡其性便能盡物之性爲甚反在物上去求盡人性

與孟子再三饒舌。自以爲是。而不可與入堯舜之道者此人也。問朱子補解致知格物章。以格物之功。主窮萬物之理言。後儒多駁之者。未知孰是。曰何敢評定先儒。恐招學者指責。第就朱子之言以論朱子。覺得自相矛盾。不待他人攻擊。何以徵之。如朱子所解致中和一節。曾言天地萬物。本吾一體。解視之弗見一節。亦言凡物之始終。莫非陰陽合散之所爲。解誠者物之終始一節。又言天下之物。皆實理之所爲。已經道破。物理萬殊。歸於一本。何得言致吾之知。在即物窮理云云。豈不自相矛盾乎。且與孔言一以貫之。孟言萬物備我。俱不相合。況天下之物甚繁。就一物而窮一理。畢生難盡。何時得誠意正心。修齊治平乎

諸講家皆附會其說以其昏昏使人昏昏适場疑案不知何日得明

以外物之理攻吾心之知是由外鑠我反蔽其知豈能致其知乎

雖移山之愚公。斷不作如是之痴想。朱子又豈作如是之痴解乎。必不能無錯訛。或門人私揣其意而誤補之。未可知也。故孟子於武城取二三策。靡有孑遺之詩。難信其言。勿論經傳子史。當指之以理。非然者。鮮不爲書所愚。夫格物之物。指物欲之動心者言。即孟子所云。物交物是也。格之云者。與格其非心。有恥且格。惟大人能格君心之格。同一義也。致知之知。即孟子所謂良知也。良知即明德也。明德之不明。爲物欲所蔽也。必格去其物。而良知始致。即明德已明。如克己而禮自復也。則是格物之學。乃明明德之實功也。由天下國家。遞推到此。方點出欲明明德於天下之眞實下手處。在格物三字。觀在字。始悟指點之情。

如畫龍點睛。尋脉點穴。是最吸緊處。豈可支撐到萬物上去。不但與誠意正心不相關涉。且與明明德更不相照應。毫釐之差。千里之謬也。

又問格物既爲明明德之實功。何以又有止至善與定靜安慮。及誠意正心之說。曰物最難格。旋格旋來。務要格到至善處。全德已明。方爲止境。蓋明德之明。是養性之初。至善之止。是盡性之候。功夫至此。徹始徹終。已包括無餘。而又言定靜安慮者。恐學人淺嘗輒止。造不到至善之極處。故再三叮嚀一番。就明明德之中。詳指層出之效。使人知循序漸進。免生半途而廢之怠志。非格物外另有細密之功也。下面誠意正心。又統定靜安慮

格一分物即致一分知格盡其物即知之至

不由本而及末者雖功高名顯終敗末路故五伯之行仁義難逃一假字

而言。以究其格物之實功。要之誠正二字。與明明德上一明字皆屬格字之義。不可因字面而分解。以文害辭。以辭害志也

又問致知之致。與知至之至有別否。曰致知之致。是用功去漸尋良知之謂。知至之至。是就尋到良知之全體而言。即止至善也。於是由良知而推及之。如源泉之流。盈科後進無所不到觀下文誠正修齊治平。一滚說下。皆良知所擴充。即明明德於天下。而民無不親。幾個而后字。是形容推本及末。莫能禦之機勢。非層層有功夫也。聖經一章。三次點出本字。深望人先從明德上去格物。源清則流自清。而學人偏舍本而務末。其本亂而末治者否矣。孔子早已斷定。信不爽也。

問定靜安慮得。五者之景象。如何分法。曰定者是已知其所止。立定其志。務向至善處尋去。毫不分心於他歧。即格物以明明德之初功。靜者洗心退藏。尙知其靜也。安者心廣體胖。已忘其靜也。慮者自誠而明。心靜多妙也。得者至道已凝。氣成浩然也。幾箇而后字。是形容循序漸到至善之地。至善主盡性言。能得主立命言。同一止境也。

又問親民之親。朱子作新字解。可否。曰朱子註既云。明德者人之所得於天。而天之生人。原是一理。則我之明德。即民之明德。民既與我同受此明德以生。雖有異姓之別。不啻同胞之親。我既明其明德。又當推以及人。使民亦明其明德。如盡親親之仁

格物之學是明明德之關訣最要緊處故各章內不離工夫

故曰親民。朱子未體親字之精義。單就革故鼎新上說。因作新字解。理雖說得去。總不如親字眞切。

又問補解致知格物一節。語旣支離。又當何補。曰不待補解。格物之義。巳參入上下文各章內。如二三四章。所言顧諟克明。日新又新。切磋琢磨等句。皆格物以致知之功也。如誠意章所言毋自欺。惡惡臭。愼其獨。皆格物之謂也。不知格物之學。則爲不善之小人。能用格物之力。則爲誠意之君子。又如正心章所言忿懥恐懼。好樂憂患之四累。與修身章所言親愛賤惡畏敬哀矜敖惰之五偏。皆屬蔽良知之物欲也。能正心修身以去之。而不爲情欲所擾。非格物而何。三章內詳指出當格之物。正是致知之實功。不然。意何由誠。心何由正。身何由修。家何由齊。至於治國平天下兩章內。所言孝弟慈。與老老長長恤孤。以及理財用人等句。明明指出致知之實效。即明德之親民處。大學一卷合經傳看來。都是發明致知在格物一句。並非闕文。豈待另補哉。

又問既云物格知至後。一滾說下。非層層有功夫。如何以下各條目內。俱有格物致知之功。曰非層層有功夫者。非另有誠意正心修身齊家治國平天下次第之功。只此格物致知。澈底行去。須臾不離。若已意誠心正身修家齊國治天下平之大人。偶有一念不格物致知。便同夫不明明德之小人。雖生民未有之

孔子曾刪詩書孟子於武城取二三策古大儒於大學各有改本後學何必拘定宗某某總以理爲諸當從則從切不可人云亦云自人迷泛

孔子。及其老也。猶望假年學易。可無大過。故格物致知之功。每條內俱不可少。但所格之物。觸境頻來。各有不同。所致之知。隨處流露。亦不一般。總不外夫格物致知。這個功夫。終身奉行。死而後已也。

又問朱子言竊取程子之意以補之。朱子既誤程子。豈不亦誤乎。曰二程子各就己見。將古大學另改。與朱子現傳之大學。逈不相同。何言竊取程子之意。然改古大學者。不止程朱。效程朱而私改者有數家。如王氏柏。蔡氏清。高氏攀龍。葛氏寅亮。季氏彭山。明豐氏。政和等。俱各有改本。今以朱子所改之大學爲宗。又添出無數講家。發明朱註。枝上生枝。葉上生葉。紛紛聚訟。互相攻擊。難以判斷。不如就聖經一是皆以修身爲本句作定案。可包全部而無遺。可掃諸說而無用。蓋身何以修。德爲身之主。明明德即所以修身也。明德何以明。德爲物所蔽。格物即所以明明德也。明德既明。誠正修齊治平。由此而推。本立而道自生也。何必多設理障。使人分門別戶。徒在字眼章句上講求。而不能會歸於一貫。毋怪乎當童子時。開口便讀大學。究竟不得大學之道而爲大人。讀聖賢書。有何益哉。

附錄古大學。於其所薄者厚。未之有也。下接此謂知本。此謂知之至也二句。合聖經爲一章。連接所謂誠其意。至必誠其意。下接詩云瞻彼淇澳二節。下接康誥曰克明德。至止於信。下接子曰聽訟章。至大畏民志止。下接所謂修身在正其心者至末。
大程子所定之大學。於則近道矣下。接康誥曰克明德。至止於
信。連接古之欲明明德於天下者。至末之有也句止。連接所謂
誠其意。至爲天下僇矣句止。下又接詩云。瞻彼淇澳。至此謂知
本句止下又接殷之未喪師至末。
二程子所改之大學。於未之有也下。接子曰聽訟章。以此謂知
本。此謂知之至也二句爲衍文。連接康誥曰克明德。至止於信
下又接所謂誠其意者。至爲天下僇矣。止下接瞻彼淇澳二節。
移康誥曰惟命不于常一節。接於此下。連接殷之未喪師至末
問中庸立言之旨。與大學同否。曰理同而詞異。大學首三句由

愼獨之功即格物致中和即致良知也

人道而復還其天道。中庸首三句。由天道而貫澈夫人道。已括學庸兩卷。餘皆透發首節耳。中庸重在天命之謂性一句。盡性之功在愼獨。由愼獨而致中和之極。總冒之曰。道也者不可須臾離也。大學重在明明德一句。明明德之功在格物。由格物而止至善之地。總結之曰。一是皆以修身爲本。大學是曾子親受孔子所傳。乃能條分聖經之義理。中庸是子思得聞曾子所述。更復洩盡大學之餘蘊。繼繼承承。一脈流貫。詎有毫髮之不同。但大學專言人道盡人自與天合。中庸兼言天道見天亦與人同。大學言心不言性。存心而性自在其中。中庸言性不言心。養性而心不放於外。中庸由一以散萬。而道達夫天下國家。無異

喜怒哀樂未發時心空如太虛周玉壺至氣候也

大學由己以治人。而推及夫齊治均平。中庸所載形著動變次第之徵。無異大學所載定靜安慮自然之效。中庸所擬溥博淵浩之虛神。卽大學意誠心正時之樂境。合觀大中。同發聖經之奧蘊。其義一也。

問程子解中庸二字。言不偏之謂中。不易之謂庸。朱子解中庸二字。言中者不偏不倚。無過不及。庸者平常之理。二者孰是。曰兩說俱可。但須詳辨。更覺精細。程子言不偏之謂中。偏非偏正之偏。乃一端也。對性之全體而言。稍起意念。便失性體。玩未發二字。始悟朱子言不偏不倚。無過不及。語欠斟酌。不偏不倚。是未發之中。無過不及。是中節之和。體用未能分疏、然加不倚、二

一懸中庸直以率性修道兩等

字。或從焉有所倚之句悟來。較程子更妙也。蓋庸所以解中。非中之外別有庸。程子謂庸爲不易。就理之久遠言。恐人疑其中爲荒渺而無憑也。朱子謂庸爲平常。就理之現在言。恐人畏其中爲高遠而難行也。二說兼用。惟其平常。所以不易也。

問修道與率性。如何分辨。曰道乃性之所發。無彼此之別。率與修有先後之分。率性者是本來之天性未失。明德不待明。乃順從其自然之理。而擴充其端。如下文生知安行。與自誠明。誠者天之道。皆率性之聖人。如堯舜性之也。修道者是固有之天性已蔽。明德已不明。乃洗濯其舊染之汚。而復還其初。如下文學知利行。與自明誠。誠之者人之道。皆修道之聖人。若湯武反之

若誠之者自誠明自明誠處處分爲兩等下文天道人道發言至末章明明兩大股爲何分作四大文

也。率與修雖有先後之分。俱不負天之所命。及其成功一也。至若常人。固不率性。亦不修道。將天之所命者。棄如敝屣。其咎奚歸。歸咎於不以修道爲敎。遂使堯舜可爲之人。而等於朽木不雕之物。眞可哀也。

問中庸之愼獨。與大學之愼獨。有微別否。曰同一意也。大學以誠中形外。十目十手。指其獨中之昭然可畏。中庸以大本達道。天地萬物。揭其獨中之關係非輕。總敎人於方寸之地。刻刻省察。一毫妄念不可起。一點人欲不可沾。愼之又愼。切勿謂隱微之間。獨知獨覺。人神不能窺測。聽其放縱。而不用克治之功也。

問孔子評定君子小人之語甚多。未知君子中庸。小人反中庸

依中庸始得爲君子天下之君子恐不多反中庸便謂爲小人天下之小人恐亦不少

二句。與諸說有淺深之別否。曰有淺深之別。如喻義喻利懷德懷土。和不同同不和等類。乃就一端之相反。以定人品之高下。推其相反之原。自反中庸判其途。一反而無不反。此二句斷定古今人材。是孔子作春秋寓褒貶別善惡之大權衡。觀其鮮能久矣之言。則知中庸之德。久失其敎。因而亂臣賊子。異端邪說。相沿成風。遂壞成滔滔之天下。孔子憂其靡所底止。不得已而往來列邦。諄諄誥誡。盡情開導。欲使人咸知至德之當修。樂爲依中庸之君子。而恥爲無忌憚之小人。何難篤恭而天下平。此孔子以中庸救世之隱願。亦子思作中庸以繼志之深情。故於首章先發明中庸之至理。即引仲尼之言以爲證明。表其家學之淵源。在此中庸使天下後世不敢輕視其言。各反求諸身而保其至德也。

又問不依中庸。亦能爲君子乎。曰決無是理也中庸之德。通三才貫萬物。應萬事。無不由此而遞推之也。試觀哀公問政一章方明由體達用之理。如五達道。三達德。與九經之屬。皆曰行之者一。又曰及其知之一。成功一。一卽中庸也再觀取人以身而終歸於以仁。不可不修身。而究極夫知天在下位而深究夫明善。仁也天也善也。亦中庸也。第就此章看來。必中庸之體立而後用有以行。推之溥博淵泉。與不見不動無爲闇然。以及淡簡溫。知遠知風知微。不賞不怒不顯等語。皆言中庸之德積於中而發於外也。要之凡言君子之道。聖人之道。至誠之道。一切道之所萬殊者。莫非中庸之德所流行也。極之天地之道。亦由爲物不貳。乃能生物不測。由大德敦化。乃能小德川流。是天地之彌綸於宇宙者。咸賴中庸之德所充周也。蓋中庸之德。存之於天地。則爲天地之德。賦之於人物。則爲人物之德。天地不依乎中庸。則無以爲天地。人物不依夫中庸則無以爲人物。人與天地合其德者。即合此中庸也。若不先立其大者。雖才學蓋世功業超羣。卒爲反中庸之小人。安得爲時中之君子哉。

問鳶飛魚躍節。先儒何謂喫緊爲人處。曰此一節。是子思子又從天地之道費而隱處略借鳶魚以指點使人知天地間。皆道

无極之炁藏於玄竅陰陽之氣充夫四體五行之氣具於心肝脾肺腎非主靜不能合一

若不從此二字透發實際一切性理均屬渺茫終無著落

所充滿。無絲毫欠缺。可見人無時無地不在道中。當須臾不離。屋漏不愧。則人心之道。與天地之道。渾合無間。同一費而隱也。故曰喫緊爲人處。

問至道不凝。道既費隱。如何能凝。曰周子曾言无極之眞。二五之精。妙合而凝。蓋言人一身之氣。由先天无極之眞發而爲後天陰陽五行之精。眞與精有體用之分。皆指氣之淸者言也。恐人不知妙合之法。先後天散而不聚。其氣易耗。故又指出主靜立極之方。自然配合。妙不可言。所謂天君泰然。百體從令也。初靜而氣合。合猶可分。久靜而氣凝。凝則不散。則知文王之緝熙凝此氣而後能緝熙也。至誠之如神。凝此氣而後自如神也。充

儒謂至道
佛謂舍利
道謂金丹
異名同實
皆從凝道
氣而修成

實之謂美。凝此氣而後謂爲美也。久則徵。徵此已凝之道氣也。動則變。變此已凝之道氣也。大而化。化此已凝之道氣也。至若慮后能得。無爲而成。闇然日章。不言而喻。皆指已凝之道氣言也。夫修道之士。道若不凝。雖言言合道。事事合道。不過襲取其道之緒餘。未能實有其道之眞際。終不能結聖胎而爲聖人。此等景况。非皮相之士所能知。非淺學之徒所能到。故曰待其人而後行。苟不至德。至道不凝。全本中庸。皆虛擬其道之至理。惟此一凝字。始微露其道之端倪。孔門傳授之心法。滴滴歸源者。在此一字。從未洩漏。子思以中庸傳之孟子。而孟子之善養浩氣。必從此一凝字悟來。更經闡明顯而又顯。不意後之談道者。

洋大頂發育萬物精微頂禮儀極儀高明頂於極於大致謹極三字主窮理言兩道宇但作人滄之道看方不落空

竟不從此緊要字眼着意。可惜聖道眞傳。人人誦讀。如聞說夢視若幻境耳。

又問尊德性五句。頭緒甚多。講觧亦煩。從何下手。曰此五句不可因句法而平列。以尊德性三字爲主。德性即上至德也。尊即凝至道之功也。道問學者。是教尊德性之君子。先要在道上去問學。以窮其理。始有定見。不爲小術所惑。其理維何。窮究夫廣大精微高明之理。使知其爲中庸之常道。皆藴蓄於我德性內。非由外來。道不遠人也。溫故而知新者。故字當作故而已矣之故字解。即德性也。溫是久久尊其德性。自知其無窮之新效。如形著動變是也。此盡性之功也。敦厚以崇禮者。禮即克己復禮禮崇之禮。用功至此。積累敦厚。養成浩氣。天理復全。謂之崇禮。禮崇即道凝。盡性以至於命也。此一節是申明凝道之功效。故字緊承上句說來。着眼尊字溫字。從此下手。何其簡便。朱子以恭敬奉持解尊字。是主靜前一層。初收放心之功。尚有意存。主靜是念已潛消。心已鎮定也。

又問朱子解至德謂其人。至道指上兩節言。是否。曰固是。尚欠醒豁。至德與至道。原不可分。但就理之在人心者言。則曰至德。就理之在萬物天地三百三千者言。則曰至道。苟不實有其吾心之至德。則不能合天地萬物三百三千之至道。而凝聚於方寸。故下文指出尊德性之功。教人實有其至德。以凝至道。彼此打成一片。理方圓足。
問天地萬物之道。既無殊於聖人。天地萬物。亦能凝其道否。曰天地萬物。斷無不凝其道。觀易所云靜專動直靜翕動闢數語。始知乾坤之動直動闢廣生大生者。皆由靜專靜翕先凝其道。積厚而後流光也。至若萬物千百年生生不已者。非先凝其道。以蓄其根。而何以斷而仍續。生機不絕。但所凝者非道之全體。僅一端耳。又豈特天地萬物皆凝其道。凡在人類者。道亦無不凝。非然者。何以生而復死。死而復生。或人或物。萬劫長存。惜所凝者。欲中一線理。非至道也。至道之凝。非有至德。斷不能也。
問至誠無息章。較問政章頭緒更煩。用何爲主以申之。曰凡解

一徵字是通章之線索少人悟穿皆由驗於外三字誤之

此章書者。皆以至誠無息句包括全章。此理固是。但未詳指出至誠之久徵者爲何物。雖能層層分清究竟蒙頭蓋面不能使人得其所以一貫之眞際。多疑其虛渺無憑。故用至誠之功者鮮矣。蓋至誠之所以久徵者非功業之驗於外。是眞積日久。忽從靜極中發出一點命來。即未發之大本。天命之性也。即所凝之至道也。正孟子所謂至大至剛。塞乎天地之元氣也。悠遠博厚高明與如此者三句。皆指此所徵之元氣而言。此元氣之徵於人者也。下文不貳之物。與昭昭之多。一撮土之多。一卷石之多。一勺之多。並末節天命文德等句。亦同夫至誠所徵之元氣之謂也。故易曰大哉乾元。萬物資始。乃統天。至哉坤元。萬物資生乃順承天。明明指出天地人物。共一元氣。而各成其體用也。
人能於至誠之久。得此受生之元氣。乃謂之爲悠遠博厚高明
以配天地。如孟子謂浩氣之配道義也。蓋天地於太極初判之
時。先得此元氣。以成博厚高明悠久之全體。始有生物不測。覆
載繫振之大用。如小德川流。由於大德敦化也。以此類推。山水
亦然。人能用至誠之功。始信其皆有可徵。俱能配天地而爲三
才。非獨至誠之聖人。能如是也。
又問徵字就功業言亦可。如民莫不敬。不賞民勸。篤恭天下平
等語皆是由盛德感人。而著功業於外。何必拘定。曰此章當與
致中和一節。大哉聖人之道一節。並費隱章。能盡其性章。經綸

朱子云性是太極渾然之體本不可以名字言

天下之大經等章同看。始悟子思言至德之散布處。多就冥冥一邊發揮。少在昭昭這面指示。合觀中庸全部。始言天命之性不睹不聞。終言無聲無臭。愈見子思立言之本意。都在氣化無形之際。闡其至理。以傳其虛神。解者未能達天德。每於談天地人物交關處牽强在治化上說。豈知無位之聖賢。如孔子與顏曾思孟等。雖未行道於當時。而著不顯之勳猷。皆能存心養性。贊化調元。爲天地立心。爲萬物立命。此乃無迹之化機。無量之功德。千古不朽。較功業之建立於一代者。更高數等。故孟子曰。過化存神之君子。上下與天地同流。豈曰小補之哉。子思亦曰。盡性贊化之至誠。可與天地參矣。孔子作繫辭傳。亦曰易簡而

聖道之大此元氣所充滿正以一貫萬之塞際

道本神妙不測莫載莫破能大能小斂至微之元氣能包天地山水

天下之理得天下之理得。而成位乎其中矣。此番精義。人鮮能知者。爲解書之人所誤也。

又問悠久博厚高明與如此者三句。就所徵之元氣如何講法、曰此一點元氣謂之爲悠遠者。從先天无極生來。先天地而有。後天地而存。何其悠遠也。又謂之爲博厚高明者。與下章聖道之發育萬物。峻極於天。同一義也。如此者之此字。亦指所徵之元氣而言即充實之謂美也。不見而章三句。恰與大聖神三句。同一層出之效也。

又問昭昭之多。一撮土之多。一卷石之多。一勺之多。俱言其至微小。何以與無窮廣大廣厚不測處同其量曰欲知小能統大之理。觀上文幾希之元氣。能配天地。自明矣。再思一鳶一魚之飛躍。足見道之昭著於上下。更悟矣。子思子舉此四端原借以發明所徵之微命。足配天地之故一悟而無不悟也

問形著明動變化。如何分別。曰中庸一部。惟此一章。將養性之全功。說得最精細。最詳明。徹始徹終。毫無遺漏。朱子解曲爲一偏。未指出曲爲何物。教人從何致起。須知此曲是天之所以生我者。即初受之元氣也。此氣至剛。剛則直。故孔子曰。人之生也直。因後天之氣拘物蔽。不能順其本性而直達。故謂之曲。致曲者。即致良知也。良知何以致。非誠不能。故子思曰曲能有誠。是教其次之人。苟於曲處。能有誠意之功。則形著明動變化之效

可以遞至而深造其極矣。蓋形著明者。由一陽而生二陽。由二陽而生三陽。如卦之地雷復地澤臨。地天泰是也。動者盡性以至於命。自無而有。即五十而知之天命也。不知命無以爲君子。不知此動也。行法以俟命。俟此動也。所以立命。立此動也。一以貫之。貫此動也。知德者鮮。鮮知此動也。變化者。變乃化之始。化乃變之終。至命後再加一番至誠之功。煉神還虛。自有而無。即大而化。聖而不可知之謂神也。由形而推之於化。其功無他。一誠而已。凡得人身。而未能率性者。皆有此曲。惜其不知所以致曲之法。較之能盡其性之至誠。不僅又其次。人道已失。官骸徒存。尚得謂之人乎哉。

問莫見夫隱。莫顯夫微。既曰隱微。何以見顯。曰隱微者即上文天命之性。不睹不聞是也。即下文所慎之獨。未發之中。所致之中和是也。此一點靈光。雖具於方寸。息息於天地鬼神。一氣相感通。無稍間斷。但渾無形迹。人不自覺耳。故子思子特警惕之曰莫見夫隱。莫顯夫微。使人知幽獨之地。當慎之又慎。不敢一念妄動。恐獲罪於十目十手之嚴。而自失其大本也。

問放彌六合。與退藏於密。是兩境否。曰是一時俱到。若不退藏於密。何以放彌六合。合觀存神與天地同流之句。便明存神即退藏於密。與天地同流即放彌六合。有全體始有大用。理必然也。

問中和原無形迹可指。何以推致而位育夫天地萬物。曰人之所以得爲人者。此中和也。天地之所以得爲天地者。即此中和也。萬物之所以得爲萬物者。亦即此中和也。中和維何。即太極判後。充上下。貫古今。無聲臭之乾元也。致之云者。正喜怒哀樂未發之時。虛極靜篤。渾忘形骸。純是一團和氣。便與流行之陰陽打成一片。此之謂莫載莫破之道。而天地萬物。無不包孕於其中矣。則是天地之各安其所者。賴此所致之中和而位之也。萬物之各得其所者。賴此所致之中和而育之也。何分人物天地。彼此共一中和。即共一太極。自然相感通。並行而不悖。至靜之中。妙不可言。豈假形迹用意以致之乎。

問仲尼祖述堯舜章。以何句為綱領。曰重在大德敦化一句天地必先有敦化之大德。始能持載覆幬。並育並行。四時與日月。亦必先有敦化之大德。始能錯行代明。斷未有大德不敦化。而有小德如川流之理。此乃大德之存於天地四時日月者也。至若開心傳之堯舜。紹道統之文武。誰非敦化其大德。自然似往咸宜乎。則知仲尼之祖述堯舜者。祖述其大德也。憲章文武者。亦憲章其大德也。上律下襲。與譬如天地四時日月者。皆由仲尼已敦化夫大德。而後律之襲之譬之。各得其宜也。夫此之謂大德者。即未發時之大本。受生之初。人所同具。豈特堯舜文武與仲尼所獨有哉。惜乎人為欲蔽。聽其牿亡。而不知敦厚其化。

以大其根本毋怪乎無川流之小德矣。讀此一句者。須知天地之所以爲大者在此。而人之所以爲大者亦在此也。

上卷因人問而感觸下卷由己悟而發揮

隱居求志。是行義達道底張本。獨善其身。是兼善天下底根基。誠意正心。是治國平天下底經綸。古今來許多爲民上者。隱未求志。窮未善身。心意先未誠正。教他用何道去致君澤民。猶未讀書者。强彼作文。不得不胡說。未用筆者。强彼寫字。不得不亂畫。故孔子曰。爲政以德。又曰聲色之於以化民末也。孟子曰。輔世長民莫如德。又曰善政不如善教之得民也。世之急於登朝者。德之不修。則何以哉。

孔子樂在其中。故視富貴如浮雲。顏子不改其樂。故處簞瓢陋巷而不憂。伊尹樂道。故祿天下而弗顧。古來高尚其志。而不為外物所搖奪者。皆先有道之可樂。得此而忘彼也。則知爭名射利。貪位慕祿之鄙夫。非不知道之為貴。而枉道求合。奈心無可樂之道。滿腔欲根。見非道而喜悅。欲與欲相投。情不自禁也。願學君子而立清高之品者。非實有其道。斷未有不敗於末路。而流於汙下也。

默而識之三句。是一串之意。不可平分。以默識為主。默識之學。愈學愈不厭。心靜神恬。自覺道味無窮也。以此默識之學。誨人不倦者。望人皆為道中人也。若看成口耳記問之學。是多學而

道謂谷神不死即儒之虛靈不昧

靈從虛處生來愈虛愈靈故無形之太極生生不已

識。原非孔子所尙。安得云何有於我。書云恭默思道。朱子云默識心融。默識心通。惟默始靜。靜則生明。明則融會貫通。而理無窒礙也。

朱子以虛靈不昧四字解明德。是就初性之本體言性無形影。其體至虛。虛則靈。靈則不昧。惟其虛。故能具衆理。惟其靈。故能應萬事。惟其虛靈。故能歷久不昧。虛靈中和也。不昧至誠無息也。談性理者。不從虛靈之本體溯源。何謂性理。養心性者。不從虛靈之本體入手。何謂養性。朱子一生。著作甚多。惟此四字是本領。該括一切。又云天即理也。性即理也。一理字已含此四字。足見天人一理。俱以虛靈不昧爲本體。然論性理處。亦有不從本體上發端。而就日用事物當然之理切指者。非輕本重末。中人以下。不可語上。因材而教也。故又於中庸總補之曰。道者日用事物當然之理。皆性之德。而具於心。萬殊歸於一本也。又云道者率性而已。體用一串。更覺直捷了當。學者當於朱子所指之源頭處領會。庶不負解註之苦心焉。

四書中言爲學處甚多。皆教人在身心上用功。非向外面去旁搜博覽。以誇多鬬靡爲能。試觀孔子以顏子之不遷怒不貳過爲好學。又曰敏事愼言。就道而正。可謂好學。又自言十五而志於學。歷敍到七十。皆在心地上用功。聖經首言大學之道。在明明德。孟子言學問之道。求其放心。子夏言博學篤志。切問近思。

仁在其中。朱子解學而時習句。曾言後覺效先覺。乃可明善復初。謝氏亦曰。坐如尸。坐時習。立如齋。立時習。凡言學處。都是教人學做好人。爲君子。保守心田。不壞品行。雖誦讀不可少。不過借古人爲先路。學其嘉言懿行。以步後塵耳。今之學者不然。徒以多學爲貴。畢究不知誦詩讀書。教人學甚麼。枉費終身勞苦。無一字有益於身心焉。

吾嘗終日不食。是孔子以已所經歷者。實告於人。深望人在學中去求思。不可在學外去空思。思窮理也。學盡性至命也。學進一層。理窮一層。學到極處。理方澈底窮透。乃有益於己焉。若不用盡性至命之實學。徒在心地上揣摩。縱能理明辭達。猶聞其人。未見其面。終屬恍惚。故曰思無益。不如學也。由是而推之。發憤忘食。好古敏求。俱要就性命講。方合一貫之道。解者多把孔子眞切用功處。說成泛泛然之學問。無異黨人以博學稱孔子之淺見。故孔門之心法失傳。得其門者或寡矣。

學而不思則罔二句。都曉得孔子教人學思莫偏廢。則無罔殆之害。如何今之讀書士子。學而再思。思而復學。朝斯夕斯。學思兼到。察其存心行事。求其不罔不殆者。竟不多得。非聖言欺人。由學非所學。思非所思。將學思用在詩文上去了。而不知孔子當日設教。何嘗以詩文爲功課。觀其所教諸賢之言。處處在身心上用功。所謂學而不思則罔者。見有等常讀古人之書。而不

孔子以聖人稱佛祖以猶龍贊老子

思與古爲徒、道理雖明。而天理未存。離經畔道。知其心多欲、必血氣用事而罔也。思而不學則殆者。又有等常思與古爲徒、而未讀古人之書。天理雖存。而道理未明。拘泥鮮通。知其行多弊。必動輒得咎而殆也。故教人學思不可偏廢。果能如此學思、又何罔殆之有焉、

博文。不約禮之。徒

好仁不好學之類

攻乎異端句。解者多指楊墨佛老說。顧楊墨生孔子之後。並不知其爲異端。而佛老爲孔子所尊。斷不闢之爲異端。前出諫心表。與反經錄。已確確辨明。茲不贅焉。夫孔子之所謂異端者見當時之士人。專以貪位慕祿爲心。思以筆墨才能爲經濟。念念在身家。毫不計及於仁義道德。事事務名利。全未關係夫社稷

大程子謂記誦博識爲玩物喪志眞不愧大儒

蒼生。斯人若出風倡一鄉。則害及一鄉。政秉一國。則害及一國權操天下。則害及天下。毒流後世。則害及後世。異端之爲害何以至此。皆由入學校中。未聞心傳。不知修身之本。既無天德。王道從何而發。延至於今。聖教愈衰。斯文將喪。不特儒林中多異端。更有怪異之元惡。另創一端。古所未聞。欲以異術而滅正道害更無窮。無識者不知急於崇正學以正人心。反助異爲異以害召害。嗟乎。世風之壞何至於如此。其極乎。

孔子曾言博學。即繼以約禮。孟子亦言博學。將以反說約。子夏亦言博學。便接說篤志。子思亦言博學。終歸於篤行。可見聖賢未嘗教人不博學。亦未嘗教人專博學。不意後之所謂淵博者。

不惟不約禮。不說約。不篤志篤行。且學古人所不暇學。學古人所不屑學。爲此博學。不如少用一日功夫。少放一日良心。少長一番識見。少添一番人欲。少做一件事業。少造一件罪過。彼反矜才傲物。居然大學士。何其不知恥也。

孔子曾云。吾未見好德。如好色者。吾未見剛者。吾未見能見其過。而內自訟者。我未見好仁惡不仁者。又云隱居求志。行義達道。吾聞其語。未見其人。有顏回者好學。不幸短命。今也則亡。可見遷善改過。存理遏欲。在心性上用功之人。最難得也。故曰聖人吾不得而見。善人吾不得而見。非天之不常生。自不肯用力去學聖人善人耳。然人生天地間。皆屬善性。又豈無自命不凡。

立志學上等。如孔子所未見者。奈遵道而行之君子。每半塗而廢。不能深造夫聖域賢關。卒為門外漢。所以孔子又曰。得見有恒者斯可矣。人若有始有卒。任加百難。至死不變。凡孔子所未見者。何地無其人也。

顏淵問仁一章。是孔子以心法授顏子。顏子之好學。得力於此也。此章書講得透者甚多。吾再設一譬喻以解之。使學者更易於用功。仁者天君也。視聽言動四者。護衛天君之大帥也。四勿者。四帥之利器也。四非禮者。奪天君之賊黨也。有此四帥。防守嚴密。賊必遠遁。不敢窺伺。乘間而入。則天君泰然矣。克己復禮者。又如外患既息於敵國。而內變忽起於蕭牆。禍在眉睫。立刻掃除不容蟠踞。暫失暫得。而天君如故焉。奈何人人有此四帥而不用。只緣天君昏庸。不自省察。開門揖盜。任其往來。竊其至寶。奪其安宅。一座天造地設之虛靈府。變爲藏垢納汙之聚賊窩。深可惜也。

無爲而治章。與爲政以德章。不顯維德一節。三處是一意。合看愈明。見得爲政總不外乎德。德爲人所同具。上以德感。下以德應。無爲而治。不費毫力。所以恭己南面。篤恭而天下平。譬北辰之居所。衆星無不拱向之也。推之堯舜帥天下以仁。而民從之。與未有上好仁。而下不好義。見而民莫不敬。以及篤親與仁。好義民服等語。亦此意也。世之爲政者。不先正已以化人。而專以

一念不生
心如太虛
神自凝聚
氣自調勻

刑杖示威。法術顯才。民心愈判。國欲治可得乎。

不愼獨之功。雖曰戒愼恐懼。怕人疎忽。特嚴其詞以警惕之耳。不可因其字義嚴肅。而着力用意。以傷其渾渾淪淪之本體。故孟子曰。必有事焉而勿正心。必有事焉者。教人時時勿忘。常以養氣爲事也。勿正心者。聽其自然安泰。不宜有意以强正其心。類於揠苗助長也。故不行克伐怨欲。尚不得爲仁。有所忿懥恐懼（有所者微動）好樂憂患（其念也）。皆不得其正。當知心上稍着一念。便非至善。然初學非强制不能管束其心。須由勉而安。不可拘於一格。

樂在其中。其樂何來。非觸景而生。非感情而發。非悟理而快。非（逆味濃）見效而悅。非遂意而暢。非無憂而喜。是從寂然不動中發出一

時世味淡樂道之必安貧

段泰然自得之天趣如鳶飛魚躍。靈機活潑。不知其所以然而然也。

彼以其富四句。不過就彼我略爲較量。若論仁義之尊貴。足配天地。易曰立天之道。曰陰與陽。立地之道。曰柔與剛。立人之道。曰仁與義。三才並稱。豈僅不慊富爵。且高出萬萬矣。故孟子開口多言仁義。是道性善之眞詮。正人心之本領。奈人多爲富貴所迷。苦口呼喚。終難醒也。

四書中言孝弟甚多。各有深意所存。如堯舜之道。孝弟而已。與入孝出弟。守先王之道。是言非孝弟不足以紹心傳。上老老二句。與人倫明於上二句。是言非孝弟不足以爲模範。人人親其親三句。是言非孝弟不足以安百姓。孝者所以事君二句。是言非孝弟不足以爲人臣。孝乎惟孝三句。是言非孝弟不足以齊家。人孝弟爲仁之本。與事父未能。事兄未能。是言非孝弟不足以爲君子。申之以孝弟二句。是言非孝弟不足以化民俗。親親仁也三句。是言非孝弟不足以感人性。弟子入孝二句。是言非孝弟不足以保赤心。仁之實四句。是言非孝弟不足以徵仁義。統觀諸章可見孝弟兩端。是爲人之本。萬事之根。苟有欠缺。始基已壞。縱多功業。皆屬末務而已。

所不學而能章。與天下之言性章。當互相參看。蓋良知良能之天性。與生俱來。現成故物。原不待人去學習思慮。惟順其性之所發以利爲本自能愛親敬長。由此推廣。可達於天下。迨其後知識漸開。學非正學。慮不善慮。每以穿鑿爲智。則良知良能之故性悉爲機巧所喪。不作德而作僞。心勞日拙矣。苟能保其固有之良。率性而行。如禹之行水。順其性而無往不利。則天理循而高明日進。匪特以仁義達天下。其智如神。無所不知也。

行己有恥章。與切切偲偲章。見危授命章。任重道遠章。王子墊問章。皆確指士人之實行。必如此始可謂之士。而後之爲士者則不然。多以居爲懷。以惡衣惡食爲恥。立志在溫飽而不在道德。幸遂所求。自以爲平生一大快事。毫無遺恨。設將聖賢論士之言逐句反照。羞惡頓發。能不汗顏乎。

朱子云天命之性到處皆是但須先從自己身上尋起

孔子曰。如有用我者。吾其爲東周。孟子曰。當今之世舍我其誰。伊尹曰。予將以斯道覺斯民。至若問爲邦之顏子。與問政之子路子貢等。雖伏處草茅。誰不以生民爲心。未嘗以富貴爲念。假使今之未得志者。皆如文正公以天下爲己任。眞不愧聖人之徒。奈何委靡不振。坐視其亂。漠不關心。徒爲一自了漢耳。且有等無目之腐儒。處滔滔之天下。有許多不忍言之事。令人切齒痛恨。彼反謂爲太平盛世。眞是井蛙。無所取材也。

一日克己復禮。天下歸仁。與居天下之廣居三句。同出一意。蓋廣居正位大道。即所問之仁。仁雖各具於心。能範圍天地而不過。曲成萬物而不遺。故孔子曰。一日克己復禮天下歸仁。孟子

善惡鬼神一念之分故君子必慎其獨朱子云人之氣與天地之氣相感通夫人心緣動必通於氣便與這屈伸往來者相感通

曰居天下之廣居當着眼天下字明指出方寸中量同覆載由此理而推之修己以安百姓與能盡其性則能盡人物之性當作一例觀有志澤民者不必舍近求遠向身外苦用其功矣

禍福無不自己求之者是言天道自然之氣機應念而來非天之察察爲明有心以賞罰之也若人一念在善其氣必清心便光明即陽神之昭著神與神相契刻刻默助於虛靈動罔不臧若一念在惡其氣必濁心便昏闇即陰鬼之固結鬼與鬼相投時時播弄於方寸動罔不凶可見禍福之招隱伏於舉念之初豈待見之於事迹始知其誰善誰惡而後降以禍福哉然禍福之來既如影隨形宜乎絲毫不差乃竟有誠意正心之君子理

看破此理善者莫以逆境爲憂惡者莫以順境爲樂

應得福而反遭不測之禍挾詐懷私之小人理應得禍而偏享無窮之福豈鬼神之不靈哉實報應之甚巧也何者應得福而先禍之者隱寓玉成之仁俟其心性純熟終必轉禍而爲福其福甚厚此大德之所以求大福也應得禍而先福之者暗縱無厭之欲俟其惡貫滿盈終必因福而受禍其禍甚慘此大惡之所以求大禍也要之無論大報小報明報暗報借報直報遠報近報奇報常報非天之有私於人無不自己一念之微以求之於鬼神念豈可輕動乎動之時敢不省之又省愼之又愼乎

朝聞道之道是指不可得聞之性與天道言若主當然之理說知此理者不乏其人夫子何得言朝聞夕可死如此鄭重葢朝

何分聖學禪學同一養性之功豈舍性而別有修煉乎

聞夕死而可者。極言其至道之難聞。非僅聞之而死遂無愧。深惡不明道學之俗儒。每聞人窮到理之源頭處。如門人聞一貫之傳。不知何謂便闢爲禪學。而非聖學。大儒中遭此不白之寃者。惟象山陽明二先生更重也此寃欲白。必多聞道之人而後可大白於天下也

務民之義。敬鬼神而遠之者。因樊遲爲粗鄙近利之小人。必懷慢神諂神之心意。豈知民義與鬼神相通。故敎他切實在人道上用功。一言恐鬼神聞之也。一行恐鬼神見之也。一念恐鬼神窺之也。刻刻如是便是敬鬼神。質諸鬼神而無疑。決不可徒尙虛文妄求保護自取諂瀆之罪。故於敬中又指出遠之之說。非

後儒不悟氣機之感，謬言子路共其，孔子不食，三臭其氣而起

遠離其鬼神，是遠去其邀福之心也。若謂鬼神不可知，宜遠之而不為所惑。不但起人放縱之情，且與神之格思，十目十手，相在爾室等句大相逕庭。況鬼神既當敬，敬則一誠相感召，如在其上，如在其左右，又何謂其當遠，於理亦欠圓，智者固如是乎。子擊磬於衛，荷蕢聞磬聲而即知其心，足徵人心之氣機，動此達彼，無所不通，其機至捷而至神也。以此理推想三嗅而作，緣子路之共向，其鳥氣機潛觸，而使之飛鳴也。然人與物意注神交，隨感而應，其理易明。如韶武之樂，器在而人非，何以千載下猶辨其美善之音，適肖夫其人，又足徵人心中一點靈光，合日月而長明，借氣化而旋轉，召之則來，舍之則隱，儒所謂虛靈不

味。道所謂谷神不死。釋所謂金剛不壞。於是而知見堯於羹。見舜於墻。見文於琴者。皆可類推矣。合而觀之。意念之舉動物類尚難欺瞞。何況鬼神。天性之默存。後世尚能感格。何況現在人能悟到幽明。古今人物天地一氣相感通之精微處。意不敢片刻不誠。德不敢一息不修也。故聖賢嘗云。必誠其意。毋自欺。德之不修。是吾憂。學者不知所以當誠當修之至理。每視爲具文。信口讀過。眞可惜也。

人無遠慮。必有近憂者。是教人遠慮其後日當如何結局。可還正氣而不失。可對冥司而不懼。可見祖宗而不慚。可保子孫而無殃。可流芳名而不朽。可傳言行而無議。念及此。不得不積功累仁。敦倫飭紀。克盡爲人之道。則生榮死光。攸往咸宜矣。若圖眼前僥倖過日。不管身後罪惡如山。皇天震怒。必降災殃於眉睫。其憂甚近也。奈學人不體立言之深意。只知逆料其未來之事而豫存安頓之心。機巧變詐。陰謀取勝。在彼以爲善於遠慮豈知立意避凶。而凶即招於深慮之際。存心求福。而福已消於過慮之時。貪心妄起。反以遠慮而致其近憂。不如不慮而安命之爲愈也假使孔子以遠慮教人謀事。則與不逆不億之言。自相矛盾。有是理乎。

孔子嘗言得之不得。道之行廢。俱有命在。又以賜之貨殖。爲不受命。孟子亦言莫之爲而爲。莫之致而致。皆天命使然。又以魯俟之不遇。歸之於天。又言君子行法以俟命。子思亦言居易以俟命。子夏亦言死生富貴。有天命存乎其間。就聖賢之言合思之。則知人之窮通得失。成敗夭壽。皆天命爲之主宰。非人力所能爲也。人能隨境而安。修身以俟。便是順天。順天者如日月之食。暫晦即明。若分外營求。行險徼倖。便是逆天。逆天者如電光之來。偶過即滅。悟通此理。何必日夜憂慮。强取强求。自惹無窮之罪過。反增無限之苦惱哉。

謀道不謀食章。孔子見得有志學道之人。本無貪利之心。奈爲饔飧所迫。欲學道而勢不能。每向道外去謀生。不知在道中去尋路。故特指之曰。耕也餒在其中。是言有心謀食。而食未必得。

不行二字倘屬後天之人心非先天之道心何得謂之仁

學也祿在其中。是言無心謀食。而食竟自來。誠以道爲上天所愛惜之至寶、人能謀之。人即是道。天必因道而默助其人。存其人方能存其道也。縱事出意外。饑餓不能出門戶。以至於絕糧而死。屈於半生。伸於千古。首陽之夷齊。有明徵矣。設不樂道而安貧。姑勿論徒勞無益。幸而億則屢中。求則得之。食粟而已。與養犬馬何異。故君子謀道不謀食。憂道不憂貧。人當以君子爲法。斯不愧爲全人矣、

孔子既言欲仁斯至、又何言仁者先難後獲。克伐怨欲之不行。可以爲難、仁則不知。非兩詞不合。蓋仁有體用之分。久暫之別、如乍見入井之孺子。便有惻隱之仁心、故曰欲仁斯至。但偶爾

安利時聽其自然無功可用純是道心故謂之仁

念起即知非時時省察不能

感發轉念即消。不能長存於寸衷。若論其全體。非日月所能至。必待涵養功深。造到安仁利仁依仁之境。始得復其本體之全。故曰仁者先難後獲。然難莫難於克伐怨欲之不行。稍有疎忽。乘間而入。遠之復來。斷之仍續。最難拔盡根芽。爲仁者慎勿因其難。而着力去克治。反使氣燥而心不安。須於念起時。當下要知覺。知覺者。即是主翁之惺惺也。如賊之見主醒。便潛逃而去。何敢稍延。但要長久惺惺。不可醒而復迷。令賊速去速來。雖曰難。得其心法。亦難而易也。畏難苟安者請嘗試之。始信吾言之非欺也。

鄉黨全章將孔子一生之動作云爲。飲食衣服。鉅細詳載者。非表其修己以敬。攸往咸宜。是擬其不思不勉。從容中道。眞見得爲聖之時。故以知時之雌雉結之。蓋雌雉知其可舉斯舉可集後集者。雖自具靈機。使之合時。亦如飛躍之鳶魚。乃道之所昭著。故孔子以時哉贊美之。贊其流行之道也。意豈在雌雉哉。則知記者卒引雌雉以比孔子。即以道比孔子也。道本大而無外。小而無間。隨處充周。不待安置。自然至當恰好。周旋中禮。而無罅隙可尋矣。

侮聖人之言。非止一端。惟搭題尤甚。不論章旨。不講書理。東挪西扯。張冠李戴。强將兩頭牽合。無中生有。恰似揑詞誣控。不惟使聖賢語氣隔斷。道理悖謬。暗使作文者。生出許多詭詐心腸

讀聖賢書不知何用反借以行惡道場大夢未知何日得醒

始作俑者罪不容死

費盡許多寃枉學力。更可笑者。鈎下映帶。假借字面。捕風捉影。何異癡人說夢。夫讀書士子。全不想書中言語。流傳萬古。教人讀來何用。既不學古修德。顯有違教之罪。况任意侮慢。當作山歌。如此胡行。斯文已喪。道脉何寄。豈僅孔門難容。歷代傳道守道之聖賢。豈能容乎。天爲道而生孔子與諸子。昌明不絕。天又豈能容乎。然作文之人。非敢滅聖教而違天命。實由大小場中。多以搭題取士。便於衡文。爭名者不得不阿其所好。遂釀成風氣。則是朝廷大典。非爲天下求俊乂。以開雅化。乃爲士林栽禍根。以壞文風。嗟乎。聖教之衰。至於此極乎。今之邪教橫行。異端疊起。召之使來。不亦宜乎。

鄙夫可與事君一章。是顯揭當時爲政者之詭心。脅肩諂笑。與羞妻妾而泣中庭。是描寫當時爲政者之醜態。說大人一章。是實指當時爲政者之奢風。禮樂征伐一章。是直闢當時爲政者之竊權。我能爲君辟土地一章。與我善爲陳章。是貶駁當時爲政者之末務。今拜乎上。與盡禮爲諂等句。是深斥當時爲政者之欺君上慢殘下。與率獸食人率土地食人肉等句。是痛責當時爲政者之虐民。斗筲之人。與今之大夫。今之諸侯之罪人等句。是普定當時爲政者之斷案。後之爲民上者。清夜自思。不犯此數弊。固聖賢之流亞。犯則急急追悔。恐朝廷上不乏直書之史筆。而草野間亦多清議之高人。身雖榮於一時。名必臭於百世。孰得孰失。請自裁之。

孔子不媚王孫賈。不見陽貨。不主彌子。孟子不朝齊王。不見諸侯。不言右師。閔子騫善辭季氏。段干木踰辟文侯。泄柳不納繆公。王良羞詭御於嬖奚。虞人死非招於齊景。一切古聖先賢。高人志士。是何等底正氣。何等底傲骨。品愈高而道愈重。志彌大而心彌光。一一詳載四書。誰不共讀而共知。千載後求其學古人之道範懿行者。竟不多覯也。然學古人者雖少。而存古風者甚多。如孔言患得失之鄙夫。孟言驕妻妾之齊人。風遺後世。迹踐前途。心心相印。古今如同出一脈也。

富與貴一章。乃孔子救苦難成正覺之法語。誠以富貴兩件。是迷魂之大魔。殺心之利刃。貧賤兩途。是輔仁之良友煉性之丹爐。欲富貴者。無異撲燈之蛾。自尋死徑。而不知保其身體也。惡貧賤者。何殊韞石之玉。未經磋磨。而不能成其美器也。故以不處不去。喚醒貪夫。點化愁人。深望保守其仁德。而不爲順逆之境所搖奪。何難超凡而入聖。然害仁之端。原不止富貴貧賤。而私妄之念多緣富貴貧賤而生。若能將此大關頭打得過。凡動心之欲。易於克治。所以教人欲爲終食不違仁之君子。必先淡富貴而安貧賤。始能全其仁以成其名焉。

志於道四句。以首句爲工夫。下三句是志道漸次之效。蓋道乃性理之總名。志於道者。念念在道。不見異而思遷。日積月累。而道自得於心。則謂之德。德非虛論其理。如至道之凝。充實之美是也。故曰據於德。斯時也道雖有據。大而未化。必遲之又久。形神俱妙。與道爲一。不待操存。自不踰矩。故曰依於仁。仁統四端兼萬善。道之全體也。於是由至性而發爲至情。觸處洞然。毫無沾滯。在在皆樂境。物物契天眞。優游自得。居然陸地神仙。故曰游於藝。藝該萬事萬物。不僅禮樂射御書數可見。徹始徹終。有志竟成。無異志於學。章自十五而至七十。層層長進。皆由不怠厥志耳。所以聖賢每以立志教人。學者讀至隱居求志。專心致志。士志於道。苟志於仁。持志尚志等句。應亦奮然自興。懦夫有立志也。然學校中固不乏有志之士。惜其志在道之末務。而不在道之本原。縱有大志奪得狀元。宰相到手。卒爲道外人而已。舜禹有天下而不與句。夫子追想兩聖人之心體。推出所以能允執厥中之由。若稍着富貴念頭。中便不能執。執便不能允。此必然之理也。夫舜禹亦人情耳。何以不爲富貴所動。由於認理精透。立志高超。眞見得天下猶敝屣。原非與生而偕來。亦難隨死而帶去。且能桎梏一生。害及百代。故身雖榮耀於富貴之中。而心實超出乎富貴之外。然心地光明。纖塵不染者。匪特親承道統之舜禹爲然。凡紹其心傳者。無不如是也。後之學者。無論享高爵厚祿。一旦變其初志。設幸叨末光。亦竊竊不忘。安能希賢希聖而希天。繼續千秋之道脈乎。

上失其道四句。眞仁人之言。其利甚溥。俾小民不白之冤。造蒼生無窮之福。平士師暴虐之氣。消鬼神惱怒之心。非深體聖教者。不知從源頭上論來。昔孔子爲魯司寇。有父訟子者。越月請止。孔子赦之。季孫不悅。子曰。上失其道而殺其下。非禮也。不教其孝。而聽其獄。是殺無辜也。曾子之言。恰相符合。推之萬方有罪。罪在朕躬。百姓有過。在予一人。與不獲予辜。下車泣罪之聖王。無不引罪於己。馭衆以寬也。徒以刑驅民者。滿腔殺機。其心已死。尚得謂爲父母耶。

君子無所爭。此一爭字。最難化盡。必須有民胞物與之大度。矜平躁釋之功夫。正己無求之高風。富貴浮雲之卓見。纔能拔出

俗人俗腐儒毫無剛氣任其酒色財氣所播弄外物所搖奪

一個爭字之病根。否則不爭其利。必爭其名。不爭其能。必爭其功。不爭其常。必爭其變。不爭其小。必爭其大。不爭其言。必爭其心。安得云無所爭耶。於是而知世之爭長較短。角勝顯能自謂。爲英雄豪傑者。實爲君子所竊笑也。

子言吾未見剛者。剛乃乾元之理。賦之於人而爲性命。剝盡羣陰。獨有純陽。如孔子之不磷不緇。孟子之不動心。君子之不流不倚不變。大丈夫之不淫不移不屈。心似青天白日。志如堅鐵硬石。物不能引。欲不能侵。始可謂之剛。然性雖剛而氣度和平。言語謙讓。化血氣之勇。無躁戾之形。夫子歎其未見之意。隱含朝廷無直臣。草野無正士。大抵趨炎附熱。同流合汗。比比然也。

處順境者長行縱欲滿志極樂把自己弄成一個任性的小人尚不自覺

舜發於畎畝章孟子已道破上天造就人材之隱情。而學人每改大志於患難之際。是自不受其裁成甘爲上天所厭惡之人。而不願爲上天所呵護之人矣。孟子作人心切。既顯示其玉成之深意。又總結以悚動之危詞。生於憂患。而死於安樂。則知逆境中多君子。順境中多庸流也。可笑俗眼輩每在形迹上。論人謂某某作善竟遭。坎坷某某作惡反得。順適。遂疑天道茫茫。原無定論。見何淺也。

巧言亂德。小不忍則亂大謀。此二語。凡持身涉世者。固當着意。而有志建功者。更宜留心。蓋巧言之不輕信。小忿之能含忍。非易事也。必養性功深。心若鑑空。物來自照。度若海闊。何所不容。

若能方已
何妨方人
借爲法戒

始能全其德與謀而免其亂也不然必受惑於便佞之小人暗喪其天德而不自知。必憤激於嫌疑之細故。卒敗其大謀而生後悔。古今來無數英雄功德不能成就者。多犯此病。自命不凡之大丈夫。當以斯言奉爲規箴可也。

六言皆美德。原無六蔽。因本然之性。墮於氣質之偏。理欲互乘。時而人欲中忽發天理。固有仁智信直勇剛之好。時而天理中忽夾人欲。又有愚蕩賊絞亂狂之蔽。夫子以好學示子路者。是教他用克己之功。使欲淨理純。自不生其六蔽。而六言皆成全德矣。

子貢方人。是行有餘力。偶談其人。借善惡爲法戒。夫子尙警其

今之誦說詩書與人兩不相關只要記得講得便是

不暇況有等學人專以方人爲能事胸中記得幾部經史子書。眼中認得幾箇文人學士。耳中聽得幾件新欵時務。羣居高談津津有味。自以爲識見高超。眼界寬闊。全不把自己之存心行事功過是非細細省察。明明較量。甘居下流。任人擬議。或卑之爲浪子狂徒。或斥之爲名教罪人。或鄙之爲衣冠禽獸。彼反大模大樣。置若罔聞。豈眞鮮恥哉。由於未能方己。故不知其己之過失。堆積如山。遂自謂爲好人也。設時加檢點。刻刻不放過。應亦恍然醒悟曰。夫我則不暇。

孔子言君子博學於文約之以禮。顏子亦言博我以文約我以禮。孟子曾言博學而詳說。將以反說約。三聖賢皆教人從千言

大學者故名敎中多罪人

有才者每敗德後嗣多不堪言可見天最愛德不愛才

萬語中。用吾心之一理以約之。若網在綱。有條不紊也。然禮何以能約博學之文。殊不知古今天下之人。雖異時異地。無不同此心同此理。前人有先得我心所同然之理者。彼以理之宏綱細目。發之於文字。載之於書籍。以先知覺後知。以彼心感我心。則是先我而言者。却仍是我心未發之禮。故學雖博。能以一禮約之而無不該。然書籍甚繁。不可不擇。凡無益於身心者。一他吐鳳生花。吟風弄月。斷不可入於目以亂其心。今之學者。不知德行之足重。只慕其才名。愛其文詞。鮮不爲書所悞也。

四書中論爲政處甚多。皆歸咎於君臣。而無一言歸咎於小民。論待人處不一。皆反責於自己。而無片語指責於他人。豈民與

過化由存神發出上下同流即過化也通章歸重此節是見存

人俱無不是哉。誠以上行下效。小民之風氣原隨上爲轉移故咎上而不咎民。整躬率物他人之凶頑。實賴己所感化。故責己而不責人。假使因民之不是而遂歸咎於民。雖善良難免小過之刑。而奸黨更無自新之路。怨聲載道國何以保。抑因人之不是。而遂指責於人。雖骨肉亦抱傷殘之恨。而親友終結不解之仇。孤立無助。身何以容故躬自厚之君子。無論在朝在野。無不反求諸己也。

所過者化一節。與至誠盡性章。詞異而理同。過化者即盡人物之性也。存神者即至誠之盡性也。與天地同流。豈曰小補者。即贊化育。與天地參也。至誠以盡性。而包羅夫人物天地。君子以

神之君子驕於化民之王伯

存神。而同流於上下天地。言存神而不言盡性者。就天性之神妙不測者言。與至誠如神。聖不可知之謂神。同一化境也。合兩節看來。足見孟子親炙於子思深得孔門心法之眞傳也。惟天下至聖章。與下至誠章。當互相合看不可將至聖至誠分作兩等。溥博如天二句與肫肫其仁三句。皆形容至聖至誠。心無所倚之虛神。即未發之中。天命之性也聰明睿知之五德。與經綸天下之三句。是由虛處而詳指其實際。使用靜養之功者。免生頑空之疑。可見至聖至誠之學問。先在虛處養性以植其基。後從實處達道以立其業。所以有時發見於外。凡有血氣者莫不尊親。不待條教號令。自然心悅誠服。與無爲而治。篤恭而

純是道心念頭偶動便落人心

平。同一義也。後學不悟虛體實用之分。每解性理默化之章。多就善政有爲上說。與聖賢立言之意。大相反矣。然性體渾成。非意想所能到故結言苟不固聰明聖知達天德者。其孰能知之。顏子之歎高堅前後。卓爾末由者。亦是形容虛懷之性體。正心齋坐忘時也。何謂心齋坐忘。一念不着。將心寄於虛處。以虛爲心之齋。虛到極處。渾然天理。坐忘形骸。與孔子四絕之時無異。斯時也。一團和氣。無從擬議。因發高堅前後卓爾末由之歎。此番景象。雖無異於孔子。暫而不久。尙未如其純熟焉

溫故而知新可以爲師後學每就誦讀解。不合孔子之言。孔子之所以爲人師者。原是先修其德。推己以及人也。豈有不以己

之所以爲師者。教他人之爲師。而別以爲師之道教人乎。斷無是理也。況當時之民。鮮能中庸者。皆因世教大衰。徒尙詞章之末務。而不講德行之實行。以盲引盲。不足爲師者多也。孔子急欲振頓師道。使知先修其身。可爲子弟所矜式。故以溫故知新特教之。此故字當作則故而已之故看。即初受之天性也。溫者是教人時時溫養其天性。而自知靜安慮得層出之新效也。爲人師者。果能照此先成其己。則師道立。而善人必多矣。不然。人之患在好爲人師。師有何患。患其悞人子弟。失其赤心。不得爲忠孝廉節之正士。殺人之心。較殺身之罪更重也。

鳶飛魚躍。言道之充滿於天地。無一毫空闕。不舍晝夜。言道之

捫心自問是道中人乎抑道外人乎恐自失其為萬物之靈

貫通夫古今。無一息間斷。人若放其心。循其欲。則與道相間斷。間斷處便是空闕處。既落於空闕。顯然置身於道外矣。須知胎卵濕化。一草一木。凡受天地氣機以生者。皆道中之物。無不依道為始終。人既置身於道外。至賤至蠢者且不如。何堪為人。故子思曰道也者不可須臾離也。顧諟天之明命一句。較康誥帝典二語。更覺森嚴。不曰明德峻德。而曰天之明命者。是言我之善性。原出於天之所命。天以此明明命我。天即明明在我方寸之間。令人慄慄危懼。毋敢戲豫也。不曰克明。而曰顧諟者。反觀內照。念茲在茲。令人猛然省悟。欲罷不能也

君子無所不用其極。此極字。當作太極之極看。分言之。天地人

物。各具一太極。合言之。天地人物。共此一太極。包夫天地人物之外。量無所限。入夫天地人物之中。形無所徵。未有天地人物以前。固至極而無所加。既有天地人物以後。亦至極而無所損。天地人物。俱有盡時。而太極無盡時。太極之在人身何所驗。尋到盡性至命處。即太極也。君子無所不用其極者。是以太極之總理。用之於萬事無不宜。用之於終身無不足。用之於三教無不合。用之於百世無不通。此一句。匪特結本章。包一切。掃一切。言簡意該。能悟此理。何必多着筆墨。多費唇舌。先儒論者紛紛。惟周子太極圖說。與陸隴其太極論。俱就人身上指出。最精詳。愚亦有二語。曾記反經錄。中庸備我渾忘字。太極藏身難繪圖。

孔曰吾道一以貫之。貫此太極也。孟曰萬物皆備於我。備此太極也。

象往入舜宮。是出地獄登天堂之界限。何也。象未入宮見舜之前。意注二嫂。滿腔人欲。與地獄中之罪鬼何殊。及入宮見舜之際。色變忸怩。滿腔天理。與天堂上之神明無異。分聖狂於一念。判兩人於頃刻。直同乍見入井之孺子。而怵惕惻隱之心。不假安排。自然而然也。可見人皆有天良。非生而爲惡也。

就思君之言忸怩之色以論象。固徵其有不死之良心。而良心之所以不死者。實由舜之善待其弟。恩深情重。毫無傷殘之芥蒂。隱伏於胸中。故一見舜。不禁良心頓發。而歹念潛消矣。設使

家庭內論恩義不論是非執理以衡必乖骨肉

舜之待象素無親愛之情。且有嫌疑之際。一旦見舜於謀死不死之後。心如火焚。不形忸怩。而形慍怒。不出善言。而出惡語。豈無良心。蓄忿使然也。可見遭骨肉之變者。當積誠以感之。而禍自息。若無感化之德。能讓之又讓。忍之又忍。亦足以全天倫之樂。設不幸而遇頑梗難化之輩。愈忍讓愈欺淩。而鬼神必暗爲之周旋。請觀焚廩出井之奇妙。則知天之所最愛者重天倫之人也。人能以舜爲法。自無難處之骨肉。一堂和氣。可必千祥雲集矣。鬱陶思君之言。雖是假情。實出眞心。何也。不如此說。而心便不安。不覺發善言於口。此是愛兄之天良難昧。既如此說。而心亦不安。不覺現慚色於面。此是欺兄之欲根難掩。假中見眞。

得盡孝之子尚如此最毒婦人心

誤聽長舌非但巧言惑耳先因美色迷心

耕歷山時弱不敵强不得不忍受其害尚未見其孝之異爲都君後貴能制賤依然

眞中見假一瞬息間。而理欲並形方寸之地。豈可欺哉。象既有忸怩之良。又遇親愛之兄爲甚日以殺舜爲事。乃由父母素有偏愛之心。以長其驕傲。推其偏愛之故。又由母有前後之分。以迷其頑。父否則豈忍心害理。焚掩其孝子耶。則是象之殺兄瞽瞍之害子。其禍根皆出於後母之不賢也明矣。凡娶後妻者。最要精明。最要公平。愼勿惟聽長舌爲厲之階也。雖曰天下無不是的父母。就子而言。固當如是。若就父而論。惡得無罪。舜往於田。合下五章孟子已將大舜孝親愛弟之深心。曲曲道出。固善於體貼。尤妙者舜在床琴一句。人每視爲閒文。少會意於言外。其妙維何。想常人處此。重重受害之後。縱不敢致怨於

甘受其害足見其孝之大

舜不殺弟害在一己周公誅兄害在天下易地皆然

其親。斷無不抱恨於其弟。無限深愁。令人難解。而舜竟在床而撫琴。浩浩落落。悠然自得。忘其由井中逃出。宛若從天上降來。足徵聖人心中。如明鏡一般。物來自照。物過不留。決不藏怒宿怨而生逆料之心。故視完廩浚井之事。爲分所當然。聽鬱陶思君之言爲情所應有。眞大智若愚也。由是而推之。周公之使管叔非無知人之智。不忍逆詐於其兄。與大舜之待弟。同一仁人之心也。

齊景公有馬千駟一章。與南宮适問於孔子一章。是善惡顯報兩大案證。夫安享富貴之景公。反不若餓死之夷齊。眞見得名利如電光。節義偕日月。若徒尙有力之羿奡終難比有德之禹稷。眞足信道德種福果。權勢伏禍胎。合觀諸人。法戒昭然。切勿視爲往事。漠不關心也。

觀天之未喪斯文。匡人其如予何之言。孔子固明以繼道自任。觀子在回何敢死之對。顏子亦隱以輔道自居。蓋子在即道在。重其道而不敢死。與孔子恃其斯文未喪。必不死於匡人。同出一意。豈因受師之恩厚而以是爲對哉。然顏子既以道視孔子。而孔子亦以道視顏子。吾以汝死之問。亦非出於愛弟之情深。觀後日之痛其死。重言天喪予。實見孔子之慮其死者。恐喪其道也。一師一弟。彼此重其道。不得不互愛其載道之人。至若生死患難。原聽之於天。何足掛聖賢之懷哉。

理應如是尙不輕受厚禮送葬者彼以爲愛之厚實害之深

此段合上爲一段誤寫爲二也

門人之厚葬顏子。事師如事父揆之於理固甚當。顏子雖貧而享厚葬於門人衡之以義亦當然。況厚葬之財。出於死後。非顏子所取。又何傷其廉。且厚葬之舉。不過添買其槨。聊遂顏路請車之心以樂道之顏子當之。並非僭其分。而夫子反覆責其不是者何哉。誠以厚葬其師之禮。行之於他人之爲師者則可。行之於顏子則不可。蓋顏子抱道在躬。生死不二。既安貧於生前。必守分於死後而門人竟以常禮待之。只知安其身。而不知安其心惟夫子深知其弟。料其稍受小疵。必不滿意於地下。故責之至再眞愛人以德也。

參觀使門人爲臣章。更見待夫子以自待之心待顏子。深信其爲人。亦如已之毫不敢欺。必求其生順死安。而心始無愧。於是而知請車不與之心。與葬鯉無槨之意。是以常人之所不能愛者。而深愛之。原非因其不可徒行。而不賣車以買槨。特權其辭以達顏路。彼此傷慟之際。不便明言耳。

回也其庶乎章。解多未透。屢空者非空匱之空。是言顏子心如太空。一念不着。即至誠之焉有所倚。孔子之空空如。因其心空無累。故許其與道合一。庶乎不差。與賢哉回也章不同。彼是喜其樂道之眞。而心能忘乎貧。此乃是指其不違仁之實。而心不止忘乎貧。諸念皆絕。萬緣胥捐。較忘貧更進一境焉。賜不受命之病根。由於貨殖。而貨殖之病根。由於億則屢中。億屢中而心屢貧。故不受命而好貨殖。在子貢之心。自以爲命有應得之富。故所謀必成。非敢於不受命。認理不精耳。屢空屢中針鋒相對。是孔子從兩賢心中相反處定其優劣。一純天理。一雜人欲相形見絀。子貢悞用聰明。固不及顏子之造就。後聞一貫之傳。亦與庶乎之顏子相近也。

桓公殺公子糾。管仲不死而又相。以臣道而論。忘君事仇。忍心害理。縱有蓋世之功。難贖失節之罪。許之以仁固不可。謂之爲人亦難當。卑之爲器小猶嫌高。而夫子竟不斥其非。反大表其功。重許其仁。豈無深意存乎其間。後儒不以意逆志。有謂功能掩過者。有謂死固合義。不死亦不害義者。有謂桓兄糾弟輔非

桓公亦是爭國之人觀其爲五伯之首足徵其有爲君之分一得一失暗定於天夫子不便明言恐篡弒者借口天意特爲權其詞以答二賢

其正。不死亦可者。有謂尊周攘夷。事關重大。死乃小節者。統觀諸。說不惟不能解仲罪。愈開反叛之風。且啟爭奪之禍。其弊彌深。其害彌遠。不得不詳爲之辨。試觀孔子以至德稱讓天下之泰伯。以得仁贊讓國之夷齊。以正名爲治衛之先政。則知爭國之子糾。必爲孔子所深惡而痛絕者。彼非重倫之君。安用死節之臣。故重言如其仁。已明嘉其管仲之不死爲是。又言豈若匹夫匹婦之爲諒。更顯闢其召忽之輕死爲非也。況管仲之於子糾。雖奉奔在魯。儼若有輔佐之情。而未立於齊。尚無君臣之實。既非君臣。不得律以見危授命之義。愈見得不當死亦不得責以不共戴天之仇。又何妨爲其相籍非然者作春秋之孔子寓褒貶於一字。豈容臨難苟免之小人。僅以霸諸侯贖其罪而輕殺身成仁之志士。反與經溝瀆同其流。決無是理也。夫由賜之問。持論平允。足爲萬世臣道之常經。孔子之言。認理圓通。可弭千秋骨肉之變故。各懷識見。同扶綱常。兩說俱是。不可廢也。就桓公與子糾並論。有謂桓兄糾弟者。有謂糾兄桓弟者。是以長幼而定是非。殊不知君爲臣民之綱領。當先以身爲表率。彼此富貴而虧倫常。姑勿論誰兄誰弟。糾固不仁。桓亦不義。而夫子何謂其正而不譎。蓋較之晉文則高一籌。比之王者又降一等矣。再以仁而論管仲仁。則大公無私。其量甚宏。卽屬小器何爲仁者。論功業則可。論道德則不可也。要之桓公管仲雖然功高

渾厚而不精明則多癡。精明而不渾厚則多刻。惟渾厚中寓精明則無癡刻之弊

莊子云人之君子天之小人

名揚。皆出智取術馭勦襲其仁終歸於假。故曾西不悅比孟子不足爲仲尼之徒。無道桓文之事。若孔子亦不過因時論人就事取材。降格相衡耳。豈追慕典型。贊歎不忘耶。

舜居深山。野人無異。回言終日。不違如愚。曾子則以魯而聞其道。武子則以愚爲不可及。凡有道德學問之人。內雖精明。外必渾厚。地厚方能載物。人厚方能載福。每惡論人者。過醇謹樸實之士。反加以迂酸臭名。見輕狂浮薄之徒。樂稱爲風流才子。顚倒是非。大壞風氣。眼界高超者。當以孔子爲法。願從先進之野人。羞爲後進之君子。庶不爲習俗所囿。失其本來面目。裝成虛假文章。若人者。百千中難選一二也。

詩人先以穆穆贊文王。是從先天深遠中。實指其性光綿綿而歎美之。非虛擬之詞爲此詩者。眞過來人也。文王何以能如是。以其敬止於至善。而心不稍放也。心若稍放。先天便落後天。道心忽變人心。性光焉能繼續緝熙。是性之全量。仁敬孝慈信五者。是因其爲何如人。隨感而應。各如其分。即大本之中。發爲達道。而自中其節也。止於之止。屬動時說。敬止之止。屬靜時說。表其動靜一致。毫不變其本性也。足徵文德之純。至誠不息也。故欲明明德者。當知止也。此緝熙之贊。與堯之光被四表。舜之重華協帝。孟之光輝謂大。同一性光發現。即佛之頂上圓光。道之放大光明。此乃三教之大本大原。深造夫先天之極者也。

凡有四端於我知皆擴而充之此兩句。是孟子教人。處處從天良發見時。當下認定主人翁。此乃天之所與。而我之所以爲我者也。我有此四端。則我爲眞我。我失此四端。則我爲假我。故當由一念以推及於念念。不使轉念而奪其初念。則隨在皆天良所流露。方不忝生於人類。奈人爲私欲深蔽。偶動一毫良心。多不自知。間或知之。而又不能擴充。即或擴充。而又不能於凡所有者皆擴而充之。半明半暗。隨得隨失。若而人者。天良殆盡。只知有己。雖父母尚不能事。安能推己及人而保四海乎。

默而識之數句與出則事公卿數句。子皆言何有於我。君子之道四。與君子之道三。子皆言未能。德之不修數句。子言是吾憂。

又言躬行君子吾未有得。若聖與仁。則吾豈敢。又言我非生知。好古敏求。假年學易。可無大過。此等言語。非自謙之辭。眞見得道無窮盡。難以達原。道最細密。動輒得咎。是故德愈進而心愈歉。功彌深而過彌多。如此學力。非淺嘗者所能知。

孟子言仁義禮智根於心。仁義禮智我固有。與豈無仁義之心等句。皆指後天發現處而言。非本來有此四端。先具於方寸。是猶太極之生兩儀四象。原自無而有。豈先包藏兩儀四象於太極。而後生之耶。先儒云。心兮本虛。應物無迹。誠哉是言。已會闇然日章之妙。夫孟子當日。爲何不以虛靈詳闡其性。而每以四端直指其心。非不知體用。見戰國時世衰道微。無人可言天命

易云無思無爲寂然不動感而遂通天下之故

之性。姑就後起之仁義禮智。以切指其人使初學易知入德之門。由大用而漸復全體。此乃自明誠謂之教與自誠明謂之性者。雖皆以修身爲本。却有天道人道之分。不可渾同而一視。經綸天下之大經一章。俱是發明至誠二字。最宜著眼夫大經之所以能經綸者以此至誠而經綸之也大本之所以能立者。以此至誠而立之也。化育之所以能知者。以此至誠而知之也。至誠之心體如何。夫焉有所倚也夫焉有所倚之景象又如何。肫肫淵淵浩浩也。凡言執厥中。止至善。與盡性存神等句俱如至誠之虛懷若谷。無所不容也。此等造就純是先天。非徒從後天用省察克治之功者所能窺其奧妙故末言其孰能知。然至誠之本體雖難知。而造至誠之功夫猶易曉不必別求名師秘授天機直從焉有所倚之句下手即得深造夫至誠之心傳漸進夫其仁其淵其天之捷徑何難綸大經。立大本。而知化育焉恐暫而不久道心偶參以人心先天忽落於後天。欲求淺嘗倘不可得安能造到至誠之境。而爲聰明聖知之人哉。

假年學易章理最精深不易參悟。欲知學易之功夫須會贊易之傳詞。蓋傳詞不一。共有十翼和盤會通皆教人玩易詞而知天地之道。法天地之道以養自己之心性何以徵之。孔子於上傳首段統言易簡而天下之理得。天下之理得。而成位乎其中。先點出易簡二字。已得學易之要。恐人不知易簡之得於身者

順性命一句點出數聖人作易之深意已得全部主腦

爲何物。又言一陰一陽之謂道。繼之者善成之者性明點出受陰陽之氣而成善性。即乾坤之易簡也。猶恐人不知用養性之功。接點出成性存存。道義之門。又恐人妄議存存之心法。添出小術。詳言默而成之。不言而信。存乎德行。以通結上傳此盡性之功也。復於說卦傳首章。點出窮理盡性以至於命。又總論之曰。昔者聖人之作易也（存養之功不過順其自然之理決無別法）將以順性命之理以此理立天之道則曰陰陽乃天之性命也。以此理立地之道則曰剛柔。乃地之性命也以此理立人之道。則曰仁義。乃人之性命也。此立命之實也。然性命之說。非僅在後傳露出。已於乾坤二卦中。先揭其大旨。如各正性命數句。與黃中通理數句。隱伏性命之根。性命二

然仰讚之顏子唯一貫之曾子作中庸之子思養浩氣之孟子皆性命之學合易道之精者也

占吉凶者得其糟粕耳若專爲卜筮何得假年

字。是此書之線索。通體悟穿。層層暗點。合而言之一部易經。雖彌綸乎天地之道。而實蘊含於人心之中。故曰以此洗心退藏於密。則知孔子望假年之意。非因易道精深。尙未悟透。乃欲修一己之性命而得乾坤之易簡。然易簡不輕得。稍雜一念。不合夫自然之妙。便有違背天地之過。不能配爲三才。則於人道有虧。是以望假年以卒其學。不敢自信其無過也

下傳云。黃帝堯舜。垂衣裳而天下治。蓋取諸乾坤堯舜。既以易道治天下。則知以允執厥中開道統者。亦祖述乎易道也。何也。中在喜怒哀樂未發之先。恍惚無象。即易有之太極。適合夫靜專靜翕。无思无爲。寂然不動之本體。執中若此。已得其易簡之

國朝李光地云自漢以來說易者七百餘家四庫全書著易者一千七百餘卷雖未得全豹大約在枝葉上穿鑿若悟綱領何取多言豈識見高出夫生民未有之孔子耶

理矣。然堯舜不教人學易。而另示以執中者。斯時未有彖象傳詞。理最玄遠。非上智難參。因以執中該學易之道。使人易曉。而易於用功也。夫易雖始於伏羲。而其原出於天。天錫圖書於河洛。始則之以畫卦。若非天以圖書牖其衷。伏羲固不能悟一畫以開天。而堯舜亦不能悟一中以傳道。此一書也。眞天地之寶。經傳之祖。歷數千年。而經數聖人。始告成於孔子。彰明較著。洩盡天機。已無餘蘊矣。孔子而後。又添出無數支派。各抒所見。非不近理。須知易乃四通八達。頭頭是道。孔子曾贊之曰。夫易廣矣大矣。以言夫遠則不禦。以言夫邇則靜而正。以言夫天地之間則備矣。苟不求諸邇而以靜正爲主。徒求諸遠而以博學爲能愈求愈遠愈遠愈支離。汪洋大海。從何問津。不如按孔子之傳詞。潛心體會。始悟易之奧妙。即堯舜之心傳孔門之心法一脉相承。無二理也。否則鮮不爲諸說所惑。雖皓首窮經。一無所得。徒自苦耳。有何益哉。

觀孔子假年學易之言。知平生之學。得力於易。既以易成已。何未聞以易教人。蓋易無不包。神而明之。存乎其人。雖未顯以易教人。實而按之。言言皆出於易。試觀四書中。孔子所言者。不外理欲兩端。能循天理。自得其吉。苟循人欲。必罹於凶。凶與吉悉潛伏於理欲之中。不待蓍龜之占卜。而先幾已兆於發念之初。故易曰憂悔吝者存乎介。介即理與欲之間也。然孔子所言固無不與易相通。而求其全神畢露者。惟在川上。與欲無言兩章川上章隱嘆其水之不舍晝夜。即示人以陰陽循環之道。歷亘古而不息也。無言章明指其天之時行物生。即示人以變化自然之妙。無一毫之造作也。善學者能體聖言。則學易矣。

君子居易以俟命之易。當作易經之易看。繫辭上傳已明言君子所居而安者。易之序也。觀其素位而行。不因窮通得失、稍累其心適合夫屈伸消長之序。聽其自然之易道也。下傳又言德行恒易而知險。故居易之君子不同行險之小人。此一易字。是子思作中庸之來脉。中庸與易道若合符節。中庸從天命之性。發出萬事。易道從太極之中。發出萬變。太極即天命之性。彼此著書立說。總是發明天人合一之理。能知中庸則知易矣。至若孟子所云。言近指遠守約施博。近與約。亦是教人得其易簡之理。而與太極同一義也。奈人各抱一太極之易而不知學。每舍其田而芸人之田。輕重失宜。不犯此病者寡矣。

昔者聖人之作易。非專爲趨吉辟凶。求名利謀事爲而設。須觀卦爻之辭。多寓警戒之意。恐人悞受其悔吝之小疵。暗虧其固有之大德。故示以卜筮之法。使人保全其天命。所以不恒承羞之人。孔子謂其不占。占則知其羞而恒其德也。學易者果能盡性至命。則至誠如神。禍福將至。必先知之。豈待見乎筮龜。始知其吉凶哉。

總結性命不二心法

性命二字。是古今人受生成質之祖氣。不得此氣。何以有人身不養此氣。何以盡人道。故三教至人。俱先從此處下手用功能將固有之性命。善於保養無少歉缺。便是得道之人。修成聖賢仙佛地位則知教雖有三理原無二豈於性命外。別有異術各造其極耶。蓋性命之在人心。有若無。實若虛。一切孝弟忠信禮義廉恥。無不由此發來。有大本然後有達道。斷未有本不立而道自生之理。若舍本逐末。縱多功業。是行仁義。非由仁義行。迹似可取。心不堪問。安能簡在帝心。默相契合。人之君子。天之小人也。是以反覆叮嚀。再將四書中言性命喫緊處。約來詳說使人觸類旁通。會歸於一。不因文辭之異。而參疑信之思。如孔子所言之定靜安慮。盡其性也。慮后能得。至於命也。立命後之神妙。已包在止於至善之句中。顏子所歎之高堅前後。盡其性也。所立卓爾。至於命也。欲從末由。立命後之神妙也。子思所指之形著明。盡其性也。明則動。至於命也。變則化。立命後之神妙也。又曰久則徵。久字包形著明在內。盡其性也。徵者至於命也。即下文不見而章也。不動而變。無爲而成。二句。立命後之神妙也。孟子所云。充實之謂美。與深造之以道。仁義禮智根於心。皆盡其性也。充實而有光輝之謂大。與欲其自得。盎背施體。皆至於命也。大而化不可知。與居安資深。左右逢原。不言而喻。皆立命後之神妙也。合數章參觀。道一而已。古聖先賢。各將心得。發之於言無非望天下後世之人。同復其性命之全體。始得盡人道而爲完人。若不先窮其理。而知其如何謂之盡性。如何謂之至命。如何謂之神妙。淺嘗輒止。半塗而廢。必難循序漸進而底於有成矣。吾勸世之凡得人身者。切不可將己身中悠遠博厚高明之性命。輕視如塵羹。棄法身而類於芻靈焉。苟能立堅貞之志。去人心而守道心。決不爲後起之私所蒙敝。舜何人也。予何人也。有爲若是。顏子豈欺我哉。

附集四書詩 七絕十則

止於至善鮮能知。即是空空如也時。天地同流豈小補。中和位育恰相宜。

盡心知性性難傳。無臭無聲理渾然。復禮歸仁在此際。且能贊
化可參天。

默會淵淵浩浩時。中爲大本在於斯。聰明睿知從茲出。樂以忘
憂道味知。

誠則形兮著則明。忽焉一動命非輕。慮而后得得乎此。一以貫
之萬事亨。

至誠無息久方徵。至德始將至道凝。可以前知賴此物。心傳心
法並相承。

維天之命與人同。五十而知在我躬。所以異於禽獸者。幾希一

點存其中。

至大至剛氣浩然。非同充體受於先。配天配地且悠久。日日又新即聖賢。

涵養如何到至誠。存神氣自現清明。心猿先要求其放。勿助勿忘集義生。

穆穆文王便是玄。光輝之大照三千。定而后靜功長用。二氏亦同此訣傳。

一旦豁然盡貫通。學而時習味無窮。果能皆反求諸己。樂莫大焉發寸衷。

四書說約終

阿彌陀佛佛祖序

極上乘禪。廣布人間。清淨寂滅。順其自然。一傳不永。降旨再傳。靜裏自在。寂中安閒。吾門本易。休謂艱難。空空一語。悟到即玄。妙中非妙。比擬非禪。歸根見性。的旨永傳。修士路徑。此處結緣。

太上道祖序

道不可言。是名曰玄。玄不可言。未始以前。指以爲眞。眞有本原。指以爲的。的在先天。此言非幻。此理至玄。有此的旨。悟此眞傳。從無入有。從有返還。空中一粒。是曰大丹。包以一字。何泥五千。修妙修竅。確有機關。道脈繼續。萬古流傳。老少同歸。皆通妙玄。吾門妙蘊。上上乘禪。

無量度世古佛序 即白雲仙祖

夫旨者何。天地未開以前是也。未動之時是曰無。無不可名以旨名之。既動以後是曰有。有不可說。以旨說之。故以道言則托名者衆。以法言則假借者多。以旨言則直指眞中奧蘊顯揭眞中幾微。不必以前人舊說。襲其詞章。不必以後人擬議。混其眞玄。吾則曰是之謂旨。然而旨有的旨。一語落空。非的也。一言著相。非的也。一法有住。非的也。一念有著。非的也。的在先天未分渾淪之中。蘊其妙。猶在先天。將發恍惚之際。審其幾。既發之後。與發而中節之候。充其量。斯的也。即斯旨也。斯旨也。即斯道也。斯道也。即斯法也。故有斯旨。則有斯傳。有斯傳。則有斯眞傳之末眞．由旨之末的。旨之末的。則傳非其傳。旨非其旨．旨愈遠。而傳愈謬。傳愈謬。而眞愈熄。眞愈熄。而旨愈亡矣。旨亡。安所謂的。眞熄。安所謂的。傳謬。安所謂的老仙目覩斯人。心懷斯道。世運將衰。末刼將至。大緣將啟。不有以振拔之。斯道不幾危乎．是以降下仙佛眞傳。普度迷徒。廣開教化。不過日眞而已矣。第以眞傳既出．假傳斯泯。宜乎聞道者。頓超苦海。向道者。直悟迷津。了俗緣。結道果。同證上覺。永登彼岸可也。奈何見而即信。信而旋疑．疑而不悟。悟而不悔。甘溺於五濁惡世中。焉果何心耶。噫。吾知之矣。皆由聞之末覺。見之末確。實旨之末的故耳。今又再請法旨。與三教同議。輯成的旨一書。發前所未發。亦猶是發前所已發明前所未明。亦猶是明前所已明。故命名曰眞傳的旨。斯書也。合之則一眞字。實之則一旨字。確之則一的字。廣之則一傳字。深而名之。蘊而含之。則無亦有。有亦無字。靜而思之。動而誠之。擴而充之。大而化之。則亦中字以前始。仍一字以前終。言至此。老仙恍憶道德經序中曰。吾恍然矣。吾恍見斯旨。悟斯旨。得斯眞。大斯傳矣。世人切勿以老仙之言爲眞恍也。此序。

響月文通古佛序 即救劫師尊

吁。道之不傳也久矣。傳之不眞也久矣。即傳之間有近道者。語之不詳。指之不實。亦爲道中之浮談也。吾自降凡以來。血心度世苦口化人。先以眞傳行世。叩門者如雲。望道者如雨。故得訣而體行者有之。得訣而不重者有之。即不然。體之而不眞。體重之而不眞。重者有之。斯人也。何嘗見吾道之眞。悟吾道之旨也。辨之雖眞。悟者未眞。闡之雖的。受者未的。是以吾曲爲之諒。再爲之原。復請法旨。將的旨廣布人間。宣揚大化。永正道脈。恐末劫一至。將吾道仍付入流水高山中焉。良可惜也。今因弟子等叩吾門下。請序於吾。吾不禁心曠神怡。將不洩之旨盡洩之。不傳之眞盡傳之。所謂眞者。即眞道也。所謂的者。即的傳也。所謂旨者。即眞中之妙。妙中之竅也。吾爲斯人大其振拔。即爲斯世廣其教化。一傳之末已。又再傳之。此心此志。果奚屬耶。不過盡吾分中之量耳。究於世人何補。然吾分不盡。則吾傳之不眞矣。

吾量不滿則吾旨之未的矣。雖曰無益於斯人。然此三教一理。千鈞一髮。道脈長留。未必無小補云。此序。

圓通文尼自在眞佛序 即呂祖

夫天地之所以不朽者。道也。人心之所以長存者。道也。聖賢仙佛之常與天地並立者。修此道。得此道也。蓋道有傳人。而非其世則不傳。道有傳時。而非其人則不傳。傳之云者。非自人而傳。實自天而傳。蓋傳以人者妄。傳以天者眞也。此其中一脈相承。萬古不易者。則有眞僞之辨焉。是故吾自成道以來。三教會於吾門。萬理宰於吾心。僞者絕而眞者愈永。眞者傳而僞者斯熄。其不忍不傳者。此願未嘗一日能已。其不敢妄傳者。此心未嘗一毫或私。道重乎。抑傳之者重乎。眞傳重乎。抑傳之眞而的者重乎。幸也。有吾兄救劫闡道於將墜之際。正道於難繼之秋。先年有眞傳行世。無異中流之一砥柱。暗室之一明燈。固已爲絕無僅有之事矣。今因門下修煉者衆。悟道者亦誠。有妙未得而竅未通者。有竅漸通而妙漸得者。此皆限於見之不眞。識之不確也。故仙佛再請慈旨。宣明大道直抉。此中奧蘊不以旁門爲詞章之魔障。不以比喻爲道脈之浮烟。顯者愈顯。微者不微。命之曰的旨。將不的之言。闡之使的。不的之理。辨之使的。不的之訣。明之使的。的則旨始眞。的則道始顯。的則傳始遠。的則脈始長。豈非斯世修眞者之大幸哉。又豈非萬世修眞者之大幸哉。

吾故曰。傳以人者妄。傳以天者眞也。願三家修行士子。直問迷津。訪拜求訣。了悟性空。斯不負仙佛降世之苦衷。亦不負吾心救世之大願。登雲路而步蓬瀛。吾爲斯人慶之。吾且爲斯世望之。此序。

明通昭德自在古佛序（即度師）

余異人也。生能悟道。少而痴。長而怪。壯而通神知妙。世之奇吾者。意斯人不知果何許也。夫吾豈眞異也哉。直蠢耳。愚耳。庸耳。吾何蠢。不貪不妬。不想不妄。蠢也。吾何愚。不知計慮。不知巧拙。愚也。吾何庸。不談怪異。不落塵根。庸也。吾因世人道我蠢。笑我愚。責我庸。吾轉痛斯人之至蠢至愚至庸。而不知振拔。吾即以至蠢至愚至庸之道。而爲之振拔也。然而吾非偶然也。慨自得吾師救劫靈氣。修就法身。誤失紅塵。吾師天高地厚。恩垂萬古。將吾身煉爲一身。吾形煉爲無形。早爲斯時道脈寄也。及世運將衰。神教將啟。師托命於吾曰。爾乃吾一氣所化也。天降大任於吾。吾將托命於爾矣。爾其善承法訓。吾即叩首啟請。冀師垂恩於生後。無至沉淪苦海。墮我微軀焉。則幸甚。師曰。善哉善哉。弟子本性。眞未沒哉。乃重命曰。天降大任於爾。即降大任於吾也。爾身即吾身。吾形即爾形也。豈忍坐視陷溺而不早爲之所。爾勿他慮。其善承吾法訓。可吾於是再謝而別。自發宏願。明珠墮淵。光芒萬丈。欲普其恩澤於大千。廣其法慧於三界。身居黃

宮。命繫蒼帝。心憐赤子。慧照白頭。凡夫也。而凡天上地下。道門
佛地。俯而即之。仰而望之。皆在吾心目中焉。而孰能鏡吾一生
幻影乎。當其時佛法眞諦。運會廣闡。人第知察善惡。分功過。瞭
如指掌。而不知談天人。說玄妙。細於毫髮也。人第知前根厚。始
基穩。不染塵氣。而不知具仙體。脫凡胎。早超沉淪也。佛命闡道
於斯世。開化者數年。說法者又數年矣。乃事未終而道未竟。緣
未滿而劫未消。遂爾飛雲履。跨仙鶴。除三心。滅五濁。坐脫而去
焉。是何說耶。吾明指緣外凡客。切囑緣內眞心。道統闡於前者
吾。而繼其後者乃吾叔光月也。了爾苦惱。消爾浩劫。終身於法
中。了命於法外。全其道之分派。統其道之大成。又吾一大擎天

之力也夫吾一生境至苦而心未嘗苦心至樂而身未嘗樂磨劫消於數載法雨施於三秋責有可托任巳數滿不過暫棲鳳凰於竹實耳云胡不歸噫吾證果有四載餘矣脫化巳五載餘矣夫脫化以前雖生猶死證果以後雖死猶生然自今視之生則死中得一生身生中得一萬年不死之身也又信然矣歷歷半生綿綿數劫從前思後吾非蠢也愚也庸也眞異人也以吾之顛末而計之則又異中無異無異而實至異也所難忘者門下道因困守數株老死法門來者不拒往者不追覺傾心於吾之寸衷微繫於吾之神明不敢自羅苦網同思超脫輪迴固屬道因之本性若謬謂吾道高峻吾德感發羣羅而至者職是故

耳。則吾豈敢。然吾道爲佛門萬年不壞之道。仙門千秋不磨之道。又謬謂無奇而至賤焉。則吾豈肯任受耶。吁吾道大也吾究何蠢何愚何庸哉。余異人也。此序。

大淸咸豐乙卯歲孟秋月降於蜀東之老陽山入妙堂

呂祖三教文

今天下皆三教中人也。儒門之所不及教者。道門又從而教之。道門之所不及教者。釋門又從而教之。教之雖不同其迹。而皆不外此一心。教之雖各分其形。而皆不外此一性。顧性具於心。有是心。即有是性。而心含夫性。全此性。即全此心。舍心性而別尋事功。則儒非眞儒。舍心性而別求金丹。則道非眞道。舍心性而別求妙諦。則釋非眞釋。然知心性而不知所以存養。則儒仍不眞。知心性而不知所以修煉。則道仍不眞。知心性而不知所以明見。則釋仍不眞。三教之不眞。人心之所以愈趨而愈下。人性之所以日牿而日亡也。吾欲爲之正其教。非去假存眞不可。

假去眞存。非明理得法不可。理明法得。非斷慾絕事不可。事上有一毫牽罣。心必浮而不安。性必躁而不靜。慾上有一毫沾染。心必邪而不正。性必昏而不淸。法中有一點偏缺。心必散而不歸。性必走而不守。理中有一點蒙混。心必窒而不通。性必拘而不化。眞處有一分剝喪。心必雜而不純。性必亂而不定。假處有一分依回。心必私而不公。性必偏而不直。心何爲而存而修而明乎。不存不修不明。則心必失而性難全矣。性何爲而養而煉而見乎。不養不煉不見。則性必失而心難全矣。可以人而不全此心性乎。至心性之不全。尚可以爲人乎。人欲養性。不離存心。人欲煉性。不離修心。人欲見性。不離明心。則性中之功。實因心而致也人能存心乃可養性人能修心乃可煉性人能明心乃可見性則心上之功實爲性而用也心未之明功先夫修心未之修功先夫存而存之者實所以修之也修之者實所以明之也性未之見功先夫煉性未之煉功先夫養而養之者實所以煉之也煉之者實所以見之也明則又修修則又存心愈存則愈明心愈明則愈修而心於是乎靜矣見則又煉煉則又養性愈養則愈見性愈見則愈煉而性於是乎盡矣教雖分而爲三理實歸於一致名則異而實則同也雖儒曰忠恕道曰感應釋曰慈悲要皆心性之發端自然而然初無勉强於其中此三教之所以並立不朽也何世之冠儒冠服儒服者矜才恃學鄙先

進爲野人。彈理學爲迂儒。知有末而不知有本。心多放矣。存之者誰。性多縱矣。養之者誰。整道容。製道裝者。遊方化緣視打坐爲無益。虛飯修爲難成。知有動而不知有靜。心多妄矣。修之者誰。性多野矣。煉之者誰。參禪學。談釋義者。披裟削髮。受戒又反戒。出家勝在家。知有外而不知有內。心多迷矣。明之者誰。性多蔽矣。見之者誰。究而言之。不過學爲儒士而已。未必能希聖耶。學爲道人而已。未必能昇仙耶。學爲釋子而已。未必能成佛耶。然聖亦何嘗不可希。仙亦何嘗不可昇。佛亦何嘗不可成。況人之夙具有聖胎。夙具有仙骨。夙具有佛體者。且猶津津。然心性之是說。豈不更易易乎。所分者。在知存養不知存養。知修煉不知修煉。知明見不知明見耳。然有存如不存。養如不養。修如不修。煉如不煉。明如不明。見如不見者。猶不如不存之存。不養之養。不修之修。不煉之煉。不明之明。不見之見者之爲得也。如是則不言存養修煉明見。不足以盡心性之功。即徒言存養修煉明見。亦不足以盡心性之功。此中之奧蘊精而彌深。玄之又玄。妙之又妙。有可以意會。而不可以言傳者。神而明之。存乎其人耳。吾願三教門人。直從心性上用功。勿忘勿助。不即不離。無作無爲。不思不慮。則心地純潔者。性天自活潑矣。心體圓足者。性量自擴充矣。心花開發者。性光自照耀矣。一人如此。人人皆然。下而黑氣蕩散。眞可以消浩劫。上而淸氣盤空。且可以鎭天地。

曾何世運之不可挽哉。人當知所自悟焉可也。

中庸云、天地之道。可一言而盡。其爲物不貳、此物即天地之心性也。謂爲不貳者。匪特天地所獨有。自太極判後。凡受氣成形之類。無不本此一物。分作千支萬派。生生化化。非有二也。故三教宗師。不忍迷徒盲修瞎煉。特拈出心性二字。發明三教之的旨。俾人咸知三教共一理。殊途而同歸。無論學儒學佛與學仙。握定主腦。一學而無不學矣。夫斯文之始終。雖層層駁理。字字點睛。固宜通體融會。但吃緊處。惟在勿忘勿助四句。上二句。是用功之火候。乃後天中之先天。誠猶未至。心性之端倪將微動也。下二句是坐忘之化境。乃先天中之先天。靜后能安。心性之全體已畢露也。苟不知此妙法。任爾坐破蒲團。老死屋漏。道心不見。天性難復。終屬小術。安成大道耶。吾願得書之修士。靜氣凝神。先悟此文。則全部之命脈。眞已存於胸中。何難迎刃而解。一線穿成。因載篇首。以示入德之門。

光月弟子敬註

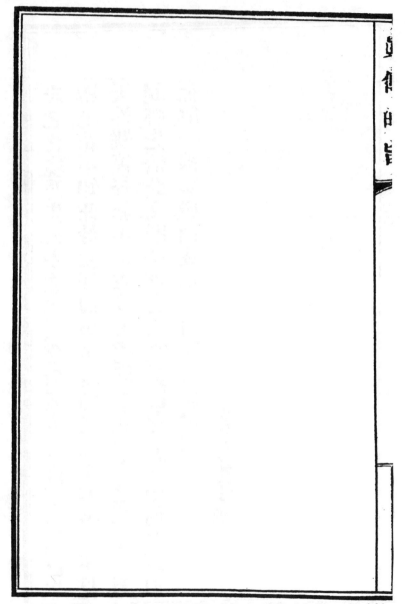

眞傳的旨上卷

光月老人　重輯
及門諸子　同校

說

解

眞言

眞字說

仙祖曰、人誰無眞心。一轉便非了。人誰無眞意。一雜便亡了。人誰無眞情。一偏便差了。初心爲眞。變幻即爲假心。始意爲眞。計較即爲假意。至情爲眞。乖戾即爲假情。所謂初心者。即固有之心也。所謂始意者。即朕兆之意也。所謂至情者。即本性之情也。心中有眞意眞情。意中有眞心眞情。情中方見眞心眞意。由眞心發而爲眞意。由眞意發而爲眞情。是情也。內之即自然景象。無時非天理之流行。外之即藹然輝光。無處非天機之呈露。然則人可不眞哉。人不眞心。即無眞意。無眞意。即無眞情。嘗見修眞者。動則私念迭起。念之私。即心不眞處。靜則欲念相循。念在欲。即心不眞處。私欲不絕。發一意。或全無眞意。或半眞半假意。其半眞半假之際。正天人相乘之時。是意也。情所不能掩也。（心發爲意意見乎情）驗眞道。先驗眞情。驗眞情。即可知心眞與未眞。意眞與未眞。故修眞之功。必以意爲始。意誠則心亦誠。即心所發之情亦誠。誠斯眞矣。如其不然。見之於言。則言不由衷。或彼此異詞。或明暗難測。或浮華無根。雖渢渢可聽。終是口頭道學。此即不眞。

見之於行。則行不率性、或摹彷跡象。或襲取聖賢。或計工粉飾雖色色可觀。終是外而文章。此卽不眞。修之者、修去心外之心意外之意。情外之情。當於舉念發言行事時。提起天良放下人心。不許疑貳其心。混雜其意。誤用其情。方是眞心眞意眞情。卽是眞道故不道道而求眞者。卽仙佛聖賢之眞命脈也夫。

心字說

仙祖曰。人不知心。卽不知道。故修道必自煉心始。然煉於未發尤貴煉於既發。如游心放心諸雜妄心皆既發之心也。既發者而欲使之寂然不動。（寂是心之體動是心之用）殆必守其心定其心收其心乎。（指出致寂工夫）夫守心是守其未動時。定心是定其必動時。收心是收其已動時。（欲收先要制動）收之不易。先要善守。（善字著眼）守之不易。先要求定。（求字著眼）定之不易。先要隨起隨收隨放隨收。（隨字著眼）收之愈疾。守之愈堅。定之愈永。（功無間斷心乃常寂）故欲定必守。欲守必收。儒家故以正心爲訓。欲守必收。欲收必定。佛家故以明心爲訓。欲收必定。欲定必守。道家故以修心爲訓。（治心之功三教皆同）此皆是保此心全此心之法也。（以上言心之用）至於心之本體。則空空如也。（空而無一物而實則無物不包）空而無形何可見。空而無聲何可聞。玄妙莫測。（千變萬化皆由此出）亦祇以空名之。難以言詮。（善辨者不過曰虛無而已）然中空而外實。（中空是性體外實是形體）吾且即外之實形以狀中之空體。庶可使人默會乎。蓋心者。即先天一炁之眞陽結成。故心從火。非純陽無陰也。陽中自有眞陰。故心形上有三數覆下（陰陽下有月形載上。屬陰此言心字象形之理可見陽非陰不生。陰非陽不長。眞陰從眞陽。故以心名。以上言心之體所以一毫念動。則心中少一毫眞炁。一事入心。則心中添一種障氣。故心一起。即不以心名。是曰念。曰意。聖賢仙佛不使失其本體。因而掃念誠意。總之念起意起是心。掃之誠之亦是心。不使妄起亦是心。所謂觀我如來。是以我降我。我即心。心即我。故曰觀我。欲煉此心者。必從守定收中。體驗過來。方見空中之妙。將體用合併理會心功乃至此總束上意金丹大道首重心。蓋以保心即是道故耳。極簡極易吾故曰人不知心。即不知道重中首二句古佛蓋欲喚醒天下學士切勿迷所往

念字說

仙祖曰。修眞必先掃念。念起正天人交關之時。天良有所觸而發此念是道之用也。此念易見如遇親而愛。遇長而敬。見善斯好。見惡斯惡。及孟子所謂乍見孺子入井。皆有怵惕惻隱之心。斯時自自然然。無所勉强。圓圓滿滿。無少歉缺。此正是念之眞處。皆是自然發出故念念俱天理性體無所感而動此念。是道之體也。此念難得即佛之無所住而生其心也。即道之無。多是爲有名也。又恍恍惚惚。其中有物。杳杳冥冥。其中有精者。皆是此之謂。即儒亦有言莫見乎隱。莫顯乎微。喜怒哀樂未發之前。發而中節之始。亦莫非此之謂。三教俱重此念以此念乃鴻濛乍啓最關得失此念非靜極無此念。非靜中有悟無此念。若無此念道必藉成修眞者。不可立念求此念。悟此念。自然而然不假安排當先掃去求念之念。悟念之念。（總要虛極靜篤）此二念不掃。便生出浮念游念妄念至念一妄。便有許多貪念嗔念。癡念愛念。凡不正之念。皆乘間而入。（妄因妄生五戒之中最重除妄）吾故教人修眞。當先掃念。掃去一切雜念。自有不念之念。（著眼自有二字）有不念之念則一念可萬年也。（佛祖雪山六年達磨面壁九年俱是煉此念凡金仙大佛無個不煉此念法身隨以成地不壞）有妄念者。可以返矣。有正念者。可以興矣。（一總一勸足令觀者凜然）

意字說

仙祖曰、丹家禪門。談道談妙。誰不知意要誠。然誤於意者衆矣。有謂意在念先者。言意猶其輕。故從立從曰（俗解作日）從心。象立心之說也。有謂念較意重者。以人有二心。作已成之二心說也。（俗傳念字作今心此作二心其實無別俱是。天人交合。純陽呂祖師批）（藏常解作翻以下方好解）不知念者從人從二心謂一在天一在人天人交關故以念名也。此善惡顯分之候。（將念字義辨清）意者。從立從日（正解作日）從心。謂日之初出。象心之陽明已明明可指。圓圓可觀。乃心之既發。猶天象之已懸也。（從日字上推出許大意義已與念字有別此將意字義辨清）又謂念既輕。善惡初萌。掃之甚易。意既重。善惡已著。誠之甚難。執是說也。除妄必先掃念。仙佛豈畏難而圖易。慎獨必先誠意。聖賢豈舍易而從難乎。不知掃念乃慎其初基。先一著下手。誠意。則慎其已發。當下用功力是也。獨中慎意。必先慎念。聖賢言意不言念者。謂意可該念也。其實從意用功。與從念用功。判於微微。分於幾希。總之掃念即可誠意。誠意方可去其念根。絕其念祖也。吾言意者。謂人不知靜其初念。初念靜。或不靜於繼念。欲靜繼念。必用誠意之功。

誠意。然後一念可萬年。一意可不隕也。有意則眞念即從意而結爲眞心。眞心結而爲眞志。眞志結而爲眞功。眞功結而爲眞道。眞道結而爲眞空者、由此始耳。丹家禪門誤於意者衆矣。此其理不容不辨。其勢不得不辨也。因作意字辨以正之。

靜字說

救劫師曰。靜之一字。修眞要訣。但言者多。而知者少。故欲靜而卒不能靜。不知靜之始。先要看空世界。如酒色財氣富貴功名之類即是伐性斧斤不先看空便爲他所縛如何能靜靜之門。即從不靜處當下斬絕。有斬釘截鐵手段方有頂天立地功夫其法在速拋名利急了塵緣切勿猶豫不決耽誤一生靜之終。念起滅而復生。不使之生。生而即滅。不用滅而滅。念存生滅即是輪迴之根故捨念爲第一靜之極。不靜自靜。何嘗言靜。何嘗言不靜。

止至善者此也。（靜到不自知亦不可言方是靜極）靜至於斯。泰山崩前而不驚。非故不驚也。崩前而若未崩前也。美女當前而不動。非故不動也。當前而若未當前也。至於動作云爲。待人接物。其靜鎮之功。自然而然。有不知其所以然者。故父母見之。頑者慈矣。兄弟見之。戾者和矣。妻子見之。悍者順矣。朋友見之。僞者誠矣。俗子見之。粗者細矣。士人見之。肆者斂矣。以此忠君。忠是性分之忠。非作爲之忠。以此愛民。愛是眞實之愛。非姑息之愛。又何有不行之道。不伸之志哉。斯言也。非奇也。而奇不可言。非神也。而神不可測。所謂意誠而心正。心正而身修。身修而家齊。家齊而國治。國治而天下平者。非靜之明驗歟。故修行者。隨境煉心。何分順逆。隨事煉心。何分大小。隨地煉心。何分喧寂。隨時煉心。何分朝暮。煉來煉去。心境純熟。不特靜中靜。即動中亦靜。動靜俱靜。道不期成。而自成矣。所以佛言明心見性。非靜則不能明與見也。道言修心煉性。非靜則不能修與煉也。儒言存心養性。非靜則不能存與養也。靜字、眞爲三教之命脈也。夫不特此也。試觀一日。非夜之靜。無以爲晝之動之本。試觀四時。非冬之靜。無以爲春之動之本。是道本於靜。自然之理也。道本自然。舍靜從何入門乎。修眞者、其詳審焉可也。

定字說

仙祖曰。定功大有分辨。夫一念不起是定。然猶是一時之定。萬慮俱寂是定。然猶是定中之頑定。非眞定之定。眞定乃定中有動。動中仍定也。蓋定中有動者。即如天地之四時行。百物生。然動中仍定者。即如天地之四時行。而不改其節。百物生。而仍無其心是也。又如吾今開化。口猶是飲酒。非動乎。心猶是隨機。非動乎。手猶是指畫。非動乎。然而成見不設。容心不存。有感斯通。其應如響。盖因物付物而已。不與焉。此即動中仍定。定中有動之謂也。吾隨拈一偈云。定在動時煉。不動莫發見。一念可萬作。靈光眞燦爛。吾觀弟子。靜坐忘言者。似定也。獨居自守者。似定也。不作事故者。（定在內。形在外。）似定也。然而百念環擾。百感交集。定乎未定。此即有動無定之弊也。弟子從今靜養。固當於靜中求定。尤當於動中求定。靜中求定是功夫動中求定是效驗。然功夫在靜時。仍在動時效驗在動時。還出靜時。動靜交養自得大定。將動靜交養之所以然說出恰與聖賢用功一般迂儒謂佛老爲異端觀此亦當憬然自悟自罪過罪過此至精至妙至簡至易。至微至玄。至平至庸之理也。求定功者。勉旃勉旃。

佛法僧三寶說

仙祖曰。吾門三寶傳世久矣。人皆畧觀大意。未審妙諦。云何。故不能證上果。吾今大闡玄教。廣濟羣生。特將三寶詳指之。夫佛者覺也。法者守也。僧者淨也。要覺方能守。要守方能淨。要淨不離守。要守必須覺。然僧之義主淨。而淨更有深焉者。此心空空洞洞。潔潔白白。半點私意不著。一毫妄念不存。寂焉滅焉。何知上有天。何知下有地。何知中有人。恍兮惚兮。並我之色身。亦俱忘矣。故曰僧。然法之義主守。而守更有深焉者。心中不離這個。時時覲我如來。如來即如是。時時清心。清心即如是。時時靜定。靜定即如是。如是即這個。這個即是法。法即是這個。故曰法。然佛之義主覺。而覺更有深焉者。始而迷中一聲喚醒。覺也。此際見得塵緣是空。性理是實。此即一覺之驗也。既而於醒中忽觸於情。稍有流連。恍然一驚。即知誤入迷途。便加清心之功。覺得有天空地闊氣象。一塵不染。皎如皓月。此即覺中又一景也。終而私欲不能侵。以有覺心。故不侵也。物我無相觸。以有覺心。故不觸也。於此常覺中忽然恍惚杳冥。天機一動。大道昭然。朗然有得。然亦不知得此所以非覺似覺不覺永覺之時。得此一覺大定。數年而一覺。數十年而一覺千萬億年而一覺也。故曰佛。此三寶中。有無限天機。有許多妙趣。眞佛門之要訣也。吾願修行者共寶之。

淨念說

救劫師曰。修眞論念頭。細中又細。有一念之私。心中即有一毫渣滓。有一念之欲。心中即有一大魔障。蓋有私欲。即無先天。得先天。必去私欲。斷未有私欲是一心。先天又別居一心之理。先天是何。祇一炁耳。火動則炁散。又將何以齊火候。私重則炁蔽。又將何以復靈機。欲甚則炁牿。又將何以得奧妙。其機如此。私念當除不當除。欲念當除不當除。以及雜念妄念。當除不當除。有私念者。觀此必戒。有欲念者。觀此必戒。有雜念妄念者。觀此必戒。（定要淨念方望成道）總要將心養得寂然不動。然後念頭可滅。念滅則私盡。私盡則欲淨。欲淨則理純。理純則氣和。氣和則神凝。神凝則道生矣。金仙大佛。無不從念頭起處下手。特以此說告萬世之修眞者。（當合仙祖念字說參看）

修道說

仙祖曰。吾觀今之修道者。或在事上修。（俗務牽纏不能擺脫）或在世上修。（陷入苦海隨波逐流）或在人上修。（用藥餌吞紅丸之類）或在名上修。（沽名虛標全未眞實）或在口上修。（用經註典高談闊論）或在貌上修。（裝模做樣儼然道流）此皆失之遠矣。於道何關毫末。又有從身上修者。或在陰陽上修。（一男一女謂一陰一陽之謂道）或在呼吸上修。（專事搬運）或在耳目上修。（墮聰黜明毫無生氣）或在肚腹上修。（謂肚口爲黃庭觀臍下一寸三分及摩腹搽臍熱物溫丹之類）或在作爲上修。（如叩齒鳴天鼓八段錦及赤龍攪海縮頭搖腎之類）或在恭敬上修。（如講土臺銀臺金臺之類）一切用功之處。有失却本來者。有滅了性天者。有疑似本體者。有錯認心腎者。有遠於大道者。有近於旁門者。有假托修煉之名者。有斬斷不盡之念者。有浮華重而鎮靜少者。有心志切而力量弱者。皆各有病。病在這個太輕。那個太重。都未從心上天良發見處下手故也。（天良才是道根一語道盡）總之道心不切。人心難滅。道心不澈。（四句是天人交戰工夫修士當銘諸肺腑）欲作聖基。心要清潔。欲超凡品。著裏體貼。要求道體。莫務道名。一念道名。即是凡人。思之思之。叮嚀叮嚀。

淡字說

救劫師曰。修道先要看淡俗情。方有進境。若衣恐其不華。淡與未淡。食恐其不甘。淡與未淡。聲名恐其不揚。淡與未淡。才華恐其不彰。淡與未淡。銀錢貨物。恐其不多。淡與未淡。田園屋宇。恐其不廣。淡與未淡。時而有求福之心。時而有欲安之意。時而有貧苦之歎。時而有奢侈之思。滿腔私欲。看淡與未淡。凡人皆具佛性。皆是有造之道器。皆是可成之根基。都因念未斬斷。心所以未定。志所以不堅。正未看淡故也。修眞之士。有也淡。無也淡。美也淡。惡也淡。得也淡。失也淡。毀也淡。譽也淡。老也淡。少也淡。生也淡。死也淡。一切浮情。淡之又淡。淡則不貪。淡則不嗔。淡則不癡。淡則不愛。世味淡而道味濃。則始而淡者。終而空矣。念何患其不斷。心何患其不定。志何患其不堅乎。吾之所諭。淡而彌永。愼毋謂其淡而無味也。（看破淡然後看得空看得空然後心得定修既提得在此）

向道改過說

度師（即明通照德自在古佛）曰。修煉不外誠心向道。眞心改過。道不向不成。一時一刻不忘本體。一言一動。不離寸衷。惺惺不昧。念念皆仁。此眞向道也。（即是道器）過不改不除。如病在私。則以公心去其私。病在欲。則以理心去其欲。病在偏。則以中心去其偏。病在傲。則以和心去其傲。凡病在此處。即於病上求功。（即謝氏所謂從性偏難克處克將去之意）如此隨起隨覺。隨覺隨掃。隨掃隨滅。隨滅隨忘。（此數句是改過妙藥人當關心）自然心

中和如春風。朗如皓月。闊如天地。靜如山岳。漸漸氣滿神溢。默運乎一元。充周乎四體。不知不覺大道得矣。（此是入門下手初功）

驅魔說

啓教師（即啟敎源初佛）曰。凡外魔之來。皆意魔召之也。如意注於酒。則酒魔即至。亦若非酒不足以適其情。意注於色。則色魔即至。亦若非色不足以遂其欲。推之意注於財。意注於氣。則魔無不應念而來。是意中有魔。我即魔也。我即魔。摯魔交引。其如道何。故修煉者。掃除四賊。放下萬緣。安宅之中。只一主翁。朝暮靜守。一點靈光。照徹四維。萬魔無不退避。况先天寶劍。并將魔根亦斬絕矣。驅云乎哉。（重在除魔根）

除病根說

度世師（即度世廣元慈尊佛）曰凡人修的是道。並未修妙。修的是金。並未修眞。此皆病根累之也。（病有在前生者宛轉塵寰輪廻生死都是此根病有在今生者氣拘物蔽習染俗移都是此根欲除此根功不外一覺）佛家所重是覺。（覺字是修眞下手吃緊功夫）念起時。（不怕念起只怕覺遲）有知者知之又反犯之。有不知者。事後悔之。又復如是。（統舉病時常易犯者皆是此節包括無限）即如酒色財氣四關。（單舉四關以概其餘）似乎戒之將盡。實心考驗。其根猶在也。（重在根字）平素不飲酒者無論矣。可異者既知酒爲昏神亂性之物。先飲而後戒。一入筵前。猶斤斤以戒酒自持。或因人苦勸而酒興忽發。或見人行令。而酒意忽濃。本不飲者。遂有復飲之時。根株未鋤。節操故不堅也。（此見猶之病根當除）至於色或見美而動者有之。或見美而自持者有之。見美而動。是色由心生。先有其病隨時而發。此色根猶深也。見美而自持是色由外入心無色想因觸而發。猶水中之月。岸上石激水動則月亦與之俱動此無色根而尙未定者也。斯二者俱足以害道甚有外飾其美內貪其華隨處好美。即隨處好色根深蒂固。更是心中第一大害（此見色之病根當除）財字難言矣。有因道緣未就。而暫作計較者。（暫字要看）有因身家甚窘。而姑求生活者。（姑字要看）其勢不得不然。尙在畧迹原心之例。其餘若講門面者。講聲勢者。講衣服飲食者。講田園廬舍及奇技淫巧者。時在利藪中打攪。時在算盤內苛求。見利忘義。既欲爲財主。又欲爲神仙。（可發一笑）俗腸卑汗可鄙。可鄙。財根最爲道賊。克之安可不力。（此見財之病根當除）氣字人人未平。剛氣誰人有。正氣誰人養。一切浮氣。躁氣。俗氣。血氣。或於貌中流露。或於言中爭勝。或於事中論强。或於忿中逞雄。任氣不認理。道心且牿亡殆盡矣。安有善氣迎人乎。（此見氣之病根當除）以上四關。欲絕其事。先淸其心。欲淸其心。先掃其念。（示以克去四賊之方）莫言念過小失節之事。亦是念。殺身之禍。亦是念。敗德之端。亦是念。伐性之具。亦是念。天地以戾氣而災祥間錯。神仙以凡念而降下塵環。可懼可懼。（在天者猶且以凡念降下在凡者安能以凡念升天）修煉者。急除病根。以尋其妙。以全其眞。其功無他。只在一覺。此佛門之上禪也

心字體用四言解

飄海師(即放大光佛)曰。人惟一心。萬事之根。心是虛靈本體瑩瑩。(此言本來本體)養從性起。務求性眞眞之一字。始終經論。一念不起一私不縈。圓澈性體。先天烝生。(此言復還本體)成道本此。闡道必行。約來無有推則充盈。成人之本。濟世之根。(此言體既立而用可行)王道坦坦靜以致遠。夫惟聖學至易至簡。有其眞諦。斯爲道顯。大本大原。非深非淺。(此言聖學王道皆本於心)窮時自具。達時自備。言蘊於中。氣無暴戾。溫以待人。和以處己。當爲則進。非則退止。勿以粗氣。以損銳氣。勿以小事。以僨大事。(此言窮達言行人己氣象皆足驗心)一體待人。良心皆明。以我之心。感人之誠。內有至性。外有至情。假公之事。即是假人。小信難久。大信不盟。非有至德。莫言遠行。心可對己。方可孚民。(此言待人要誠心感孚)用人之道。己是鑑衡。己有忠心。方得忠臣。己有信實。方得眞人。己有賢才。方得賢能。假義孚衆。所屬非眞。惟水愛水。惟山對山。水會皆合。山峙相連。奸小之信。君子避焉。己爲衆疑。何能安全。本末兼修。內外相旋。動靜交養。順逆皆然。莫謂此語。口頭聖賢。始基非遠。口勿妄言。語語眞實。言言性天。所發稍躁。便失本原。發由中積。萬理淵源。三教心法。細細參觀。

殊途同歸四言解

純陽師曰。似水似山。似神似仙。紫氣東來。直透函關。五千道德。永鎮人間。合來一點。推之無邊。天地山河。一炁斡旋。春夏秋冬。一炁綿延。鳥獸草木。一炁相含。聖賢仙佛。一炁參天。智愚賢否。

一炁生焉。自古及今。道無二言。儒談性理。道本參禪。釋以寂定。無異金仙。堪笑迂儒。妄加駁彈。性本先天。一語道完。未生以前。父母難參。既生以後。己亦莫諳。機關一炁。玄之又玄。若論三教。一脉相連。吾奉仙師。亦奉聖賢。道德五種。明明相傳。凡夫自迷。不能悟參。奧妙精微。理本無偏。執中一語。便是大丹。（此是聖賢心法）修煉名山。莫把慾纏。一念稍動。即落後天。六根六塵。一毫莫沾。四相四大。要盡掃完。此是修眞。當頭一關。（此是仙佛心法具實與聖賢無異）不能修煉。綱常擎天。五倫大道。修丹之原。不敦倫紀。道已先偏。父母恩德。似海似山。君臣義道。大節要堅。朋友益己。勿貳勿三。昆弟一脈。切勿相殘。夫婦如賓。禮義爲先。一切尋常。即是道源。缺了五倫。妄說煉丹。（修道先要盡倫若倫道已盡與幼年出家者其中又有分辨）禽獸草木。各得一偏修煉成者。亦要度緣。度緣無他。倫道先言。（總以倫道為重可見三教一理迂儒謂仙佛滅倫直對談耳）一切言語。實有相關。莫謂途異。相隔天淵。（此篇言聖賢仙佛智愚賢否鳥獸草木皆一炁所生夫此炁者便隨道淪全此炁者便登天界所為雖不同及其成功則一也）

大道自然四言解

純陽師曰。一念稍差。皇天甚嚴。一事稍差。上蒼怒焉。天所愛者。仙佛聖賢。聖賢所教。天性自然。仙佛所教。自在參禪。自然天性。便是上玄。（默醒）要求自然。心裏盤旋。不動欲念。誠正相連。不動私意。明覺悟圓。一切後起。皆是魔纏。（遏欲存理漸近自然）自惹魔纏。歸受不全。不全身心。有辱堂前。要求全歸。非徒外言。內性不亂。外體亦安。

白玉無瑕自成金仙。修到仙體。何言聖賢。三教皆是。可對慈嚴。（聖賢之孝人人皆知仙佛之孝人多犯疑不知仙佛以父母之遺體修成萬劫不壞全身而又上超祖宗父母其孝孰大於是）自然之道。開示愚頑仔細省察。朝暮詳參。

訓士六言解

文昌帝君曰、為人何以克生。先天一炁結成。始於無物以前。繼乃受氣成形方寸已含萬善。其中本是虛靈。（此是因有之良）發為仁義禮智包含祗以性名。五常推為萬事、皆由性而為情。喜怒哀樂勿失。發見俱見天眞。（此是性之發端）從此嚴加謹慎。人所不見常惺。內養純和靜定。形諸外者皆醇。日日時時刻刻。無處不露肫誠。克己巳由斯盡。為仁無愧於仁。一念不為慾擾。念念不染俗氛。一事不爲情誤。事事都見靈明。（此是養性陶情工夫）希賢由此遞進。希聖由此克成。希天天亦不遠。只在眉睫謹避。道循大路中正天梯人人可尋（此是養性之效）堯舜固是自性湯武改過自新。不憂造道無命。只怕存心不眞。謀道不必謀食。曷思飲水曲肱。身中操持不定先是心中未誠。道心未嘗不有。時或間以人心。草屋恬吟密咏。外物屢屢牽情。德行文藝俱欹。甚且不分重輕。天良全然不講焉能培此道根（此言當今之士既非聖賢學問焉結仙佛奇緣）言當思其和順。行當思其篤行動靜不離本體。時防所發所存。終身行之不怠。小疵莫累大醇。如此孝親孝盡。如此言善善成。即是修眞養性。何須念佛誦經。念佛不離此理。誦經要照此行。萬善同歸學問。在地聖賢中人。在天主持造化。天下後世稱神。（此由儒教而成不假修煉者然天爵有虧）果然塵緣看破覓一出世法門。此志本屬遠大。不可滅絕五倫。尋常道中無忝。先天大道可聞。聖賢仙佛一理。所重祇在一心。吾本廣行三教士子亦當書紳。（愛道者士闢道者亦士文帝故以戒行三教結之迂儒切勿自招日過）

儒釋一理四言解

朱衣大神曰。人心不死。道心不眞。不忍爲仁。仁是發明。揆諸本體。性猶有分。（性是全體仁是一端特舉不忍與佛慈悲相同作指點耳）佛廣法言。慈悲爲心。（慈悲即是儒之不忍）聖賢救世。玉振金聲。發聾振聵。利物濟人。一道同風。寸衷始寧。（發明不忍）佛家濟世。不務浮名。暗調元氣。人物咸亨。教化有本。德行先明。繼通本體。煉己歸眞。度人無量。德同好生。（發明慈悲）無識鄙士反轉自矜。言佛寂滅。寂滅二字乃佛家治心之法亦猶儒之寂然不動心齋坐忘及戒慎不睹恐懼不聞之意不可爲經。俗論未傳妙諦皆妄言耳細讀寶章。一片慈仁。即是不忍。先聖同羣。一點明理至於老子。經傳可憑。孔子問禮。人不敢輕。猶龍一嘆。愈是欽尊。有此佐據不敢毀矣吾故單戒。闢佛狂生。削祿奪紀。全不知音。實屬不忍。敢布腹心。

四字眞言

仙祖曰。道兮道兮。點破幾希。金丹一粒修兮修兮。妙趣獨知。雖爲人道靜兮靜兮。這個莫離。安宅常居靈兮靈兮。謹守無遺。臟說明朗圓兮圓兮。毫髮無虧。復還本體明兮明兮。光照四維。如珠炫彩巧兮巧兮。直上天梯。脫殼出神樂兮樂兮。蓬萊常棲。金身不壞

初祖曰。精貫周身。氣徧五行。守住中宮。照耀黃庭。光透三界。影徹虛靈。識之非渺。尋之無憑。留之剕蔽。守之則存。善守不失。凝守即橫。病在滯守。功在微存。上下今古。渺冥相成

三字眞言

純陽師曰。修性命。復本原。鉛中汞。汞中鉛。(鉛汞猶是後天中之先天)皆是假不是玄。(玄才是先天中之先天)妙妙竅。點點圓。採得到。成天仙。(採得竅中竅妙中妙者即是大覺金仙然)(都在本身上並不待外求)若凡胎不識妙。自求奇。自不要。(大道本平庸無悉求奇者不要此妙何)往他人。竅對竅。(因此句而誤人御女採戰者不少)波羅密。實好笑。(梵言波羅密華言登彼岸也旁門乃因字面妄解以證御以採)勸君轉。鼎爐造在本身。莫他好。(旁門以女子爲元鼎以婦人爲殘鼎以娼妓爲外鼎以己妻爲戰之實與地獄種子)(內鼎還生出煉劍試劍煨爐鑄劍一切法門誤人性命不知鼎爐原在本身上田即上鼎中田即中鼎下田即下鼎叉下田即外鼎中田即內鼎鼎中皆有眞火常常微

濕故曰爐蓋爐即鼎鼎即爐無甚分辨然皆丹經之喻言吾師故勸講鼎爐者急速轉而自思切勿自誤誤人具婆心也花中花。即是道。此花是七朶蓮花其中又有一花故曰花中花若指花爲女子又大誤矣點破了難悟到。天機要待眞師口傳未有自翻竊悟而得其的旨者修眞人無奇妙。修眞人無奇妙。重言以戒求奇者宜自返矣

仙祖曰。竅中有竅火上添油。淋漓灌溉。色相盡收。打掃華堂。時時優游。一塵不染自覺安閒仙花方茂。好酒盈甌。以長生酒澆不老花花開而酒始濃非塵世花酒也飲之長久。飲此酒者萬劫不壞傾之落頭。傾此酒者命在旦夕

仙祖曰。參禪參禪。眞字爲先。一念稍假。便非妙玄。玄之非玄。惟眞乃全。妙之非妙。些兒莫耍。絲毫人欲都要去盡如是如是。此妙訣也勿以虛字混過就是大道。大道極簡不可矜奇

初祖曰。煉形化炁。煉炁歸神。煉神入定。定中無形。自然神定。休

要找尋。時上時下。難以凝成。始在各煉。終歸一心。此點妙訣。凡夫罔聞。此等玄妙非親炙仙佛者何能夢見

六字眞言

初祖曰。性本空中之有。命如風前之棚。有風吹動必生。無風鼓盪不久。坐忘一切念慮。陽發子午卯酉。修煉名山何爲。一點靈根不朽。玄機漏洩不漏急求眞師點破

度世師曰。性本瑩瑩一點。常在常常照管。工夫無有間斷。自然擴充圓滿。

濟世佛曰。莫謂仙佛難學。工夫祇在一覺。莫謂仙佛難成。探討祇在一心。莫謂仙佛高遠。不外先天一點。莫謂仙佛異教。不外

寸衷一竅。人人皆有仙心。性命儘可推尋。人人皆具佛性。仁慈即與相近。屏去一切妄想自得半觔八兩。道理平平庸庸。何必伐異黨同。

啟教師曰。玄妙無他玄妙。妙在先天一竅。陰陽都含裏許。謹防機關初兆。仙佛根柢在此。修煉方能有靠。一切有作有為。此理何曾見到。

度世師曰。可恨世間妖物。心美事多不眞。言道假托仙佛。使吾大道紛爭。挽世終必壞世。救人反來害人。赤子何辜何罪。暗受邪魔攻侵。吾非不收此類。念他微有功勳。天地亦不忍滅。總要靜鎮己心。平常中見奇異。庸行乃是本根。當今世運如此。即是渡河鏖兵。邪教闡教並論。吾法施遍古今。倘若人心不正便是邪教之門。修煉莫教錯認。意魔甚於外侵。妖非敢於糊混。乃是自惹妖氛。心有兩條路徑。起念便要澄淸。斬妖下手工夫明明道破機密。道本無形無聲。一句道盡吾今力辨邪正。暗中斡旋寸分。多在人事主定。天人相感肫肫。費吾許多精力。度爾一切凡身。不惜天機漏盡。永鎮萬古乾坤。道本不二法門近因闡化妖物竊其近似以亂眞諦世道人心大患吾師力辨邪正使人知所向往庶不爲他所惑

眞傳的旨卷二

問答　　　　光月老人敬述

問先天未發何似

仙祖曰。無聲無臭何所似。（無聲無臭四字道體已點明了）一言似字失妙諦。人言先天有一物。言有便非微微意。人言先天如太素。有素可尋稍著迹。人言先天在這裏。在字已屬於不是。（力辨丹經之誤）言去言來無一字。偶拈一字可擬議。非謂一字便即是。一字已是後天義。（一字已有形迹故屬後天）老仙今朝畫一筆。謹謹把這〇〇記。（无極而太極萬化之源本此故曰先天）

問先天既發何驗

救劫師曰。道難言。道難言。知者心領。昧者口傳。說甚麽理有百端其中主宰不言詮。說甚麼妙趣欣然。其中至樂有眞玄。（此言先天）（既發易知未發難傳）可惜吾精神注人間。悟者無幾人。行者少實參。先天隨處皆可驗。莫以人心間先天。（祈明指以正道）吾爲爾切指之。先天者何。即爾心之天良也。（天良即先天一語已包萬部丹經矣）天良者何。即爾半夜將覺時見孺子入井而乍動之景也。覺者動者。即天良之發見也。推之愛親敬長。好善惡惡。無不可以驗天良。如此談道。方有著落。謹囑。（雲霽）

（一撥青天始見）

問大道無爲。一語道盡。何今之旁門野道。不講性命源頭。墮入色相。反謂淸淨法門。祇成陰神。不是陽神。又有聞訣偶行。便思倖得。將法聊試。便欲苟安。有此數病。道之所以不明不行也。祈開示以正道脈。

仙祖曰。性命功夫。不分內外。缺外功則德行不全。缺內功則本源不淸。從性命說起將修道大主腦 夫外功者何。五倫須求無虧。俯仰乃可對於天地。四賊須要斬絕。身心方可質諸鬼神。盡性先在五倫持性莫過四賊一勸一懲此從大處用功 極之。一言必謹。言有功也。一行必愼。行有功也。一事不苟。一介必嚴。莫非功之所積。功之所推也。此從小處用功 夫內功者何。惺惺勿至於昏。防意須如防城之險。空空不著一物。守心更比守身之嚴。此從靜處用功 時而動靜判於兩途。動靜即交養之時也。時而天人介於幾希。天人即交戰之會也。此從交關處用功 此內外兼修之大略也。結上兩層 吾今不惜精神。將內功側重而言之。警惕以覺之。蓋內功不可以色見。內功不可以相求。內功不可以倖得。內功不可以苟安。（將四項提出作冒有斷釘截鐵之概）嘗見凡塵俗人。斯世野道。以陰神疑吾道者。聽老仙喝頭一捧。痛下一針。（故作驚人語使之自覺）必執色而始爲陽神。則童男童女而成眞者。本無色矣。何以法身萬劫不壞。釋子道人。謹守淸規。尼僧節婦。斷絕紅塵。本無色矣。一旦證果。竟逃天地大劫。試問此神。陽乎陰乎。又觀愚夫愚婦。皆知形交氣感。本有色矣。何以永墮沉淪。卒不能成陽神。而白日飛昇乎。（層層駁倒使旁門無可置喙）必執相而始爲陽神。則天有相。屬陽固也。地有相而何以屬陰。且天位乎上。地位乎下。亘古以來。初未合相。陰陽懸隔。宜乎天陽而天獨不老。地陰而地早壞矣。何以兩大並立。氣運流行。本無相可見。無相可尋。而長者自長。養者自養。生者自生。成者自成。若斯乎。道體莫過於天地惟此點醒無相難得未曾有 凡人何見之蠢也。一句拍轉 不知陰陽分於太極。既分以後。而先天藏於兩儀。未判以前。一言陰陽已落於後天矣。無天無地以前渾渾淪淪無色無相謂之先天陰陽隱含於其中此道之體也有天有地以後高高下下有色有相謂之後天陰陽顯見於其外此道之用也天地爲陰陽之宗一落色相猶且有閉之時而遭大劫況人獨於陰陽之中欲修大道以免輪迴乃覺不離色相而欲永證金仙法身萬劫不壞有是理乎故修身以煉先天爲本正爲此也 何猶狃於陰陽之說。而以色爲陽。以非色爲陰。以相爲陽。以非相爲陰也。老仙明明道破。掃去一毫之色相。即有一毫之陽生。掃去無端之色相。即有無端之陽生。將色相掃盡。不留些子芥蒂。則爲純陽之體矣。所以空色相者無非欲得空中一粒以成純陽耳 以非色相爲陰神者。細細思之。了清色相陰神陽神之說 又有入吾門者。非不信心堅固。而其弊在速成。未曾參禪。便思吾得證何果。未曾下座。便思吾得見何效。（描盡求速效之醜態）而性功有如此之速乎。有如此之粗乎。不見農人種穀。圃人種菜乎。（以小喻大）夫今日播種。未有今日即獲者。故登穀必待有秋。今日灌園。未有今日即實者。故食菜必待方熟。況性中一竅。上而證金仙。中而證神仙。下而證人仙。有一蹴而至之理乎。老仙雖靈。亦未有如此之手段。吾即言能。恐弟子亦不許老仙也。恐凡人亦不信老仙也。欲倖得者。細細思之。（了淸倖得之說）又有習吾道者。非不加意盤旋。而其弊在偷安。日日奄奄欲睡。每思先天來尋我。時時悶悶不樂。每想大道來求人。（描盡偷安之醜態）豈不知工藝之流歟。（以易形難）一長一技。用盡無限心思。方得心而應手。半絲半縷。費了許多心力。方稱心而意足。神仙何物也。上超九代。中度本身。下蔭兒孫。可因循苟且。不去私。不除相。不用功。不少苦。得閒暫打坐。遂想結胎於胸中。無事稍息心。遂想證果於天上乎。老仙雖受萬年香烟。昔曾辛苦備嘗。艱難受盡。似可安坐天宮。不管人間刼難。然至今猶臨凡顯化。普度迷徒。不敢自暇自逸。豈非內外功之實際耶。欲苟安者。細細思之。（了清苟安之說）夫色相非道。倖得非道。苟安不成道。（總束一筆詞嚴義正）若欲得道。要從內功外功。交相爲養。萬緣皆空。一塵不染。煉到無聲無臭境界。則性自盡。命自立。（仍歸到性命上作結見得道只在此）大羅天上。猶不留一座以位置斯人。未之有也。（此篇打破千古疑團永正萬世道脉）

問行道必先知道。知之不眞故行之不至。祈將道體如何。修煉如何。的的傳出。以延道脈。使觀者有所興起。

純陽師曰。曠觀宇宙之大。古今之遙。萬事之繁。茫茫者不知何許矣。何也。非謂無折枝之風流士也。非謂無舉鼎之豪俠流也。非謂無才高管樂。好高曹秦之流亞也。問誰是明可識機變。亦可識精微乎。而明者暗矣。問誰是智可取珠玉。亦可取至寶乎。而智者愚矣。問誰是力可拔山河。亦可降龍虎乎。而力者怯矣。夫以超羣之流。而限於微微者。非不能也。不爲也。誠反而用之。曠世之胸懷。用以求無根之妙竅。則誰謂其不可歟凡事能知能行於道獨難知雖行世人特未反術用之耳 今夫道體。有何言哉。遠觀天地之生物也。不知何以生而生者衆爲。然生既衆。而鴻濛之太虛。何以能造萬物。何以能施萬物。然而造者非造也。造於無形。造者自造也。施者非施也。施施於無心。施者自施也。以天地驗道體之自然竊嘗窮萬化於一炁。而恍然悟矣。即一炁可悟道體人每疑而不悟者。以未近而體諸身心遠而觀諸事物。徒以管窺之見。將玄者渺之。微者闢之。謂性命爲荒杳。謂先天爲無憑。是何道也。識見卑陋故不與知大道獨不思天地何以成。成於無耳。天地何以生人。生於無耳。天地何以育物。育於無耳。道本從無入有而人得其淸。則人即天地之體。物得其濁。則物即天地之微。各負陰陽。其負之者即先天也。然明先天使人易知但先天渾於生前。而先天又分於生後。私欲一起。先天判。人事一交。先天蔽。漸至紛攻雜取。則純是後天矣。而本皆暗而不明。（有後天即無先天道體愈難知矣此句承上起下）是所謂陰陽各分。性命兩離。此時無法以制之。將奈何。仙佛所爲重修行之士也。（非修行不足以體道此句語重心長）苟能爲丈夫之志。作豪傑之行。（即接倒說行道）六根六塵斬斷將乾坤而倒轉。萬事萬物概拋。以性命而雙修。不竭之精華已失者可以再得。難尋之妙竅。未知者。更宜求明。（於此須要知行並進）妙手何難回春。北海水亦上湧。眞心可以作佛。黃庭花亦長生。四大無有容身之地。三關乃是求丹之區。赤子呀呀解語。滴乳岩前養精神。黃翁穩穩無言。迎風閣上樂歲月。時有龍吟虎嘯山谷皆鳴。日每夫唱婦隨。乾坤自合。拿他玉壺之漿。羣仙會上宴嘉客。酌我金甌之酒。萬佛緣中暢同心。最愛盎然生趣。洞中可以長安。堪憐卓爾天才。闢外還宜謹守。須彌之風景何多。菩提之妙趣無限。莫言荒渺無憑。理有可證。豈是糊塗混過。事本可尋。爾弟子求仙求佛。夫豈遠哉。衆凡人爲禍爲殃。何所底止。（此篇將大道源流修煉功夫眞知實行一一活現紙上眞的旨也至於篇中或文或賦或整或散天機洋溢那得不嘆爲仙筆）

問事來時。心多憧擾。何能煉到靜鎭不搖。以全性體。

救劫師曰。修眞以了脫塵緣。謝絕人事。涵養靜室爲上。若道緣未遇。不能一概抛却。法在當爲者便爲。切勿因循。當止者便止。切勿留滯。（此境毫不執著勿輕視之）守我之分。分外不必計也。樂我之境。境外不必貪也。（隨遇而安心無妄想）有事應事。應事時無非天眞流露。而浮躁之態全消。無事養心。養心時。莫非天理渾涵。而放縱之心悉泯。所謂動靜交養者此也。吾觀弟子。久在動靜用功。心非不定。然有不能定中之定。未到一毫不動之境故也。欲不憧擾其功無他。仍自定始。將仙祖定字說仔細理會自然有得

問修行人處逆境。不知聽天安命。多有因此道心不堅者。祈以至言規正之。

救劫師曰。神仙無順適之境。古來不受魔難而登雲路者幾人。當思道愈高而磨愈甚。德彌廣而難彌加。其甚之加之者。即功程之進地也。即烈火中之玉石。即顛沛時之君子也。知此。凡境順則道難成。取携甚便舉目皆伐性之具其道不覺日損境逆則道易修。家無長物舉目皆滌心之端其道不覺日發何也。順境之君子。多庸流。欲合雖合心多繫戀卒享庸福而已逆境之君子。多聖賢也。

（欲舍便舍心無繫戀必成上品乃快）吾無他言。即以所問之聽天安命四字。常懸於心目。就是聖賢高節。就是仙佛清操。（著墨不多包括無限）

問橫逆之來。亦知犯而不校。然心中芥蒂難滅。安能人我兩忘使道心常圓。

救劫師曰。逆來順受。此語最好。觀之往古。成湯囚夏臺文王囚羑里。孔子厄陳蔡。境何逆也。而皆泰然自得。惟如此乃可謂聖人。亦惟如此乃可徵聖量。故吾門有忍辱波羅密。（言以忍辱到彼岸也）佛祖之割截身體。全無嗔恨。此其驗也。況橫逆之來。亦非無因。若自我致之。斯時引咎不遑。愧悔無地。即道心之發見也。（能任過即是天良）若非我致之。便思天以橫逆玉成我。人以橫逆考驗我。我不順受。

是逆天心也。是拂人意也。（此意實處橫逆之妙方）又思之。雖人逆猶是天之赤子。彼天良已失。理不容生。我悲之憫之。想一救度之方。（其是仙佛心腸凡人何及）於是正己以化他。（上也）化之不能。積誠以感他。（次也）感之不能。寛懷以容他。（又其次也）果能如是。我心已如天空地闊。我量已如天覆地載。道不因此更進一境乎。（此意更深更妙）總之凡事見得人不是。則必爭。凡事見得己不是。則自化。我何人斯。祇愁道心不圓。忍令人相不去。蔽我廓清之本體哉。（有識道難忘者將吾師名言時自安存不冰消雪化）

問富貴人。前生根基必大。修積必多。今生乃不向道。以求度脫。區區享一庸福便了。豈不可惜。

純陽師曰。居富貴而溺富貴者。迷失本性者也。吾亦富貴中人。

訣

迴想當年。修道氣概高出若輩一籌。此非自誇。特以身作勸耳。吾功名成就。有志無心。（志在忠孝心忘身家）人難能也。飄然出世。授印解組。全無疑滯。人難能也。克全人事。不負天心。三教並行。人難能也。曠觀當世。區區守一富貴。不能超羣出衆。絕類拔俗。非英雄神仙。不能出處咸宜。進退維谷。非英雄神仙。不能三教闡發。一誠不二。非英雄神仙。神仙者。英雄之絕倫也。英雄者。神仙之品概

身家而自窘者。非英雄。有身家而難忘者。非神仙。神仙在

定脚跟。雖泰山不能壓也。英雄在灘頭把住心志。雖狂瀾不能激也。（數句描出英雄神仙本領）吾之志願。與後世修士迴別。修士志願。又與我當年懸殊。雖然。莫謂吾迴不猶人也。莫謂人萬不及吾

也。倘能以求富貴者求妙竅。即英雄。能以保富貴者。保虛靈。即神仙。能以有盡之富貴看輕。以無窮之富貴看重。步吾步而趨吾趨者。即英雄神仙。吾以英雄神仙望斯人。斯人勿以凡夫俗子自待可也。一片度世熱腸是眞英雄聲口是眞神仙聲口每讀一過令人有飄然出世之想

問士子習道多不耐苦。多畏人譏。稍不遂意。道心便退。如此安望有成。懇祈法語。以堅心志。

純陽師曰。我也曾道上遇神仙。我也曾文場屢鏖戰。飄飄世外人。不在紅塵戀。將筆擱。拋書卷。口談玄。肩擔擔。布口袋。藏酒飯。四路跑。訪道範。朝日月。佛聲唸。腹中餓。飲水麵。想當初。何冷淡。文人譏。我自願。進士多。神仙鮮。日日睡。時時眠。洞中賓。對面見

彼修行。我遊轉。走天涯。正陽現。正陽即鍾離祖師道號傳合一。自己煉。後復遇。傳先天。自古仙佛傳道都是習點傳點未有一次一口道盡者苦未幾。又復甘。回統計。廿餘年在凡塵。不體面。走東家。化碗飯。走西家。化點善。頭帶幘。身衣爛。醉岳陽。誰同伴。飄洞庭。過花院。度妓女。出深淵。度屠夫。在蓬苑。彼文人。恃滿貫。賦幾句。來散淡。輕視吾。不滿念。有才學。談經傳。四子書。糊亂幹。性命章。孰能見。枉誦讀。門外漢。吾今日。令人羡。現身說。各打算。人多口。又何怨。苦修習。天暗眷。功程滿。凡骨換。虛空裏。化育贊。眞佛現身說法修士切勿重外輕內以自誤

問參禪時。心要空洞無物。一切意念思慮善惡。一毫都著不得。請詳指其害道之狀。以戒修士。

純陽師曰。意起塵心似鏡蒙。吹開掃去便消融。當時卽覺意無起。既起方知卽莫容。此言意足以害道也 念動微微似火騰。不教彼動更薰蒸。莫起先時常打點。無根水漲透心清。此言念足以害道也 思動猶如水乍昏。莫吹莫吸復留停。澈清到底天空影。修眞養性此分明。此言思足以害道也 慮復常常攪我心。猶如風起擾殘燈。用簾罩定光無動。塵囂縱起亦明明。此言慮足以害道也 善念常來擾竅中。七星朗朗照華容。善心雖滯心無害。最怕惡心寸地逢。此言善念害道猶輕惟惡心害道最重也

問得先天。必先絕念。然念又不易絕。祈衆師詳示。以見念之所關甚大。使修士好從此處下手。

阿難師曰。念起心卽紛。念止復元神。莫存起止念。須要渾渾淪。

（無念才是先天有念已落後天）念動火即動。念滅火即滅。（念即是火妄動則火候不清矣）莫使動與滅。更把莫使絕。盡頭無一語。有得便無得。（即金剛經所謂說法者無法可說是名說法）

度世師曰。修心全在把念絕。一動一靜斷生滅。私欲一起天地昏。有念不靈念念黑。（私念欲念不斷則黑氣盤空天地只為之一變）

飄海師曰。念起切勿輕易。千支萬派始基源。濁流必皆濁。休將子夜昏迷。禪意原來無意。道心貴於卓立。一切浮華屏去。色相毫莫著迹。（絕念之功定要從此下手）聖功根基在此。禪學非有他奇。王道本原在此。道學亦是不離。（三教都在念頭起處用功）問爾修行大衆。可曾刻刻嚴密。人心何故不去。道心誰個時提。欲作天仙至體。須從此處著力。欲作大佛本體。當從幾希屬意。萬法歸在何處。念頭莫差毫釐。

此二句點睛此是大道根柢。邪正在此分斷。道之邪正所分只在一念

星君師即斗口王天君曰。世人求佛。佛在心間。何不掃念。種己福田。何不修煉。斷絕塵緣。何不絕慾。靜守靈猿。留清去濁。自得先天。何不修煉何以

下盡是絕念根之法

仙祖曰。大道不必求高遠。一言一動省胸前。敬事大小無妄動。守心朝暮無苟安。時時刻刻加省察。一念即是聖凡關。是事都歸一念此從

外說封內

夜察真金佛曰。渺渺茫茫盡是空。修真養性在一中。念起猶如風捲浪。須將舵穩少災凶。此言念之可畏

觀音師曰。心中念莫妄攖。口中言莫輕拋。心在佛來佛非遙。念

念當中緊抱。

默著南無不斷。心心道念常歡。極樂天外別一天只怕不肯常念。念念在佛即正念之妙法此法入人醫學

太上道祖曰。凡人朝朝悟神通。寸心私意可看空。靈氣細中莫可擬。絲毫念動散如風。念之害道此言盡道

救劫師曰。刻刻守道爲心。工夫出於至誠。性體難求。一定妄念莫擾。虛靈漫云道可立。至人洞即見元神。一念妄兮念念紛。性體終是不靜。念不絶不能見性

度師曰。時時修心煉性。本體莫染塵氛。念起風波隨時興。須要洗滌潔淨。煉性切莫起念

可恨修煉不眞。暗裏貪利貪名。一念仙來念念塵。何年歸根定性。是念都從貪字起欲絕妄念非戒貪不能

救劫師曰。一念眞誠望如來。修眞切莫自徘徊。能將萬念一刀斷。不是仙才是仙才。慧劍要利念頭始絕

菩提至尊佛曰。功夫刻刻要周密。此些兒竅內現菩提。掃盡塵念加涵養。自然復本得歸西。得藥後要塵念不起方能結胎

笑凡修笑凡修。修性原來要肯丟酒色財氣一刀斷。元神靜裏自悠悠。貪念一毫不可留。私念一起即便休。圓明妙覺無沾滯。這才可登白玉樓。生念病根無念功效兩頭都說盡

三丰祖師曰。掃盡塵氛妙趣生。任他有口總難名。念無妄起心

無散靜裏悠然自有情。先天既得更要偏念方可保守

光王師即光王古佛曰。修行無別法。最怕念頭差。慧劍高高挂。莫容此萌芽要用斷法將念頭斬絕

結光師即結光大慈平等佛曰。念是道中賊。絲毫容不得。空而又空候自然無生滅。果能真空自然無念

玄武師即真武祖師曰。掃念功夫亦不難。身心俱靜自然安。機關動候莫輕易。防我先天落後天。在念將動時用功

慈濟師即慈濟真人曰。天地可容念莫容。一毫念起竅即封。法王穩坐皇宮裏。靜候如來酌碧筩。有念則竅閉無念則神清

九天玄女曰。修行人悟空也罷。慾念起。為害甚大。雜念起。心亂

如麻。妄念起。天昏地花。人不覺神仙驚訝。快將念斬斷萌芽。復本原白玉無瑕。這才是蓬萊仙家。極言念當斬絕

竈君師曰。修行人長嘆。先天壽不見。都因私念隔。掃去好修煉。先天爲天所敝看當掃不當掃

大勢至菩薩曰。靜中一念起。仙佛代爾愁。可惜好至寶。暗付入東流。念起愁煩即散不可不惜

北斗神君曰。頭上渺無光。虛靈被念戕。吩咐修行者。靜中要主張。神君在頭上錄人罪惡修行者念起時須防頭上難逃

以上金仙大佛上聖高真無不諄諄以掃念垂訓以念之有妨先天也修行者將仙祖念字說師尊淨念說及此諸訓佩服不忘方知念之所關甚大莫謂言之諄也蓋念頭不淨元神則帶濁神安能成上聖

問道始於一終於一。其中功夫層次。如何煉法。

太上道祖曰。道本萬法只歸一。點點機關不著力。始而復終終復始。到底還是不見一。一中妙處分七七。七中有法不用一。歸宿七七不離一。七七活用莫拘一。有一方有七。有七莫忘一。七也一。一也七。言去言來無有一。（此是上上天機秘之又秘不得其人不傳即得其人未至其時亦不傳莫謂道有始也天律有禁妄傳妄受兩有不便可投哉）

太上親批。道德經中五千言。逢關令尹遍處傳。不及今宵一片語。玄妙道盡不言詮。（今當末刼道已壞極太上度世婆心因漏機關以正道統）

問前後皆有穴道。升降可分否。祈開示愚昧。

三王師（即三王古佛）曰。山前山後各相連。神通不過守本原。自在自在眞自在。自然心中火自然。童子原是壽千萬。仙翁原是童子年。凡胎休把法執著。升降由他自抽塡。急急修來急急造。萬佛緣。開好結緣。（古佛望人修煉甚急過了此時難矣難矣）

問修道多有數周天者。懇祈塞此流弊。

水晶師（即水晶古佛）曰。界在中間分子午。陰陽造化不離土。乾坤顚倒任遊行。周天三百不用數。（數周天者急急改悔方得上上乘譯）

問大道如何能得。

度師曰。先天大道最難得。精微奧妙在無得。無得還歸於有得。有得終歸於無得。（無中生有有又還無）

問善功大者。不假修煉。亦可成金仙大佛否。

度師曰。不談丹道不參禪。任他功勳有萬千。他能積德將他度。還是不免一神仙。善功小者成神善功大者成仙雖是爲神爲仙天福享盡仍要入輪廻不若金仙大佛縱遇浩刼亦不壞若欲超昇在佛國。還要不離與不滅。養性培德兩無歉。跳過神仙這一關。吾師嘗言佛國無神盡是大仙大佛人若內功外功無歉直超佛國神關仙關都跳過矣成佛在人不在天。總總只要正心田。終身不存一妄念。即是上上大覺禪。修道妙法雖多總以煉念爲第一念若不妄自有不念之念矣金仙大佛舍此奚屬

問明心見性。性如何得見。

度師曰。無天無地不神仙。金丹大道無字傳。有來非有如又有。無來非無尋不見。非不見。難眞見。到那時來忽然見。時字忽字莫輕看過恍惚不覺靈光現。我佛還在大佛殿。一言道破。妙中玄。非空非實

在一貫。此等妙訣非了脫塵緣心性堅定斷不敢輕洩

問大藥既生，正防危慮險之時火候如何用法。

度師曰。寶在心只一線。有意無意漫去觀。不用想。不用貪。神光現在恍惚間。湧泉穴下。元炁貫。一直行之在泥丸。三關開兩條線。上下皆閉中還現。不可踏危險。吸在黃庭前。吹之則必散。留之則火然。然了也不好。散了炁不貫。此處有妙訣。要待眞師來口傳。

問竅中之妙。不知如何方得。

仙祖曰。四相不除六塵擾。自將眞種已失了。光陰無幾忙悟道。道中有妙人不要。眞炁還有一點竅。不識此點不知妙。七日功

靈還自造。點破愚人可悟到。待到恍惚杳冥候。不知甚麼叫做道。

問金丹一粒。其細已甚。何以妙不可言若斯。

仙祖曰習玄習玄何以玄玄在一點即是丹不用法。（妙法不可言法乃不法之法也）不用力自自然然有先天（自然有即是妙）不知不覺坐在佛關。七七功夫漫盤旋。火動則心安。（此火從無始以前來故動則安）氣靜則神恬。些兒竅內有包涵。天地非小。容之不難。陰內尋陽。火內栽蓮。此中妙景言難傳。只有樂趣在心間。在心間。興勃然。曲兒唱一唱。琵琶彈一彈。（是自然大樂）或在須彌山上轉。或在極樂國內緣。有美女。（指神）來同伴。此時節。好纏綿。恍恍惚惚。靈光燦爛。實在快樂無邊。莫謂一粒小。

可拔地。可參天。陰陽變化妙調元。你看可言不可言。（妙則不可言可言則不妙）

問人皆有佛性。人皆可成道。其如人不肯信何。祈明示以遂廣濟之願。

太上道祖曰。青牛跨下走如風。修行各自要看空。畜生都能成大道。人身豈不得受封。（太上青牛都成了道況然是人乎只怕看不空耳）天地生人有本原。一氣化成萬類全。細將靈炁長守住。自得飛昇到仙源。（靈炁即佛性也人人皆有得法以長守之自可成道何難之有哉）

問習道者。多暫而不久。失此機緣。終無了期。如何則可。

救劫師曰。有始無終自失因。成仙成佛要立貞。（此貞字是仙佛之根要佩服不忘）永久方能神不昏。（神昏只奄奄欲睡）永久方可得神凝（重在永久二字方望有成即聖人望有恒之道）倘若時動時而靜。先天之炁化煙雲。慾念起時靈炁絕。善念起時靈炁分。尋常要存善念，到打坐時善念都不可存，以一念一動先天落於後天故也。六祖教人不思善不思惡，蓋欲全其真炁耳 惝恍無憑靈炁散。頑空亦要不得 無無有有靈炁生。真訣要待口傳 此生不度何生了。趁此機緣莫散心。錯了這個機緣又要待三千餘年世人切勿忽略 永久能將心常靜。何愁白日不飛昇。總以永久二字望人特爲淺嘗者除病耳永久何難其心只要一貞

問靜坐神不守舍。雖放而即收。總難自在安閒何故。

仙祖曰。盡心盡心。心中刻刻要認眞。朝朝把守這個。時時莫想他們。行坐不離一點。晝夜默著。五行切實功夫在此數句 煉己。己歸於靜。煉神歸於無神。形神俱要煉定。重在定字 存神不知有神。能將此法行到。自然妙覺圓明。上上天機火候自然

問神極虛靈。如何煉得定。

救刼師曰。仙在神中煉。神中可得仙。雜妄一刀斷。神氣自安然。純則不雜。眞則不妄。煉神而不掃除雜念妄念。未有能定者也

問向道者亦多。進功者何少。

救刼師曰。仙佛至寶。其始非不欣羨。及到聞訣。方纔下手。多是半眞半假。半誠半僞。時公時私。時起時止。無定見。無定守。無定志。無定力。功從何處進乎。吾示一良方。事來時。先將慈悲念猛然提起。念動時。即將靜鎭意。惺然照定。數語眞換骨金丹常念念莫忘刻刻如此。事事如此。言語動作。不擾眞心。不動邪氣。則道自成矣。

問玄中妙。妙中玄。可實指否。

救劫師曰。細細天機難指明。養心養性是本根。半夜鐘聲三五下。猛然一躍即天眞。不可明言借此以形容之天地萬物總成空。一點是實在寸衷。些兒竅內當自覓。一誠無形迹無踪。空而不空不空而空

問念一起。神便知。毫不可欺。其妙可得聞否。

救劫師曰。神在天兮實在心。自己欺心即欺神。心即神神即心故欺心即是欺神心已把凡根種。那有凡根把道成。修眞故先戒欺用心莫起私。私起便是癡。莫謂神不覺。覺處是誰知。凡人起心用心自己未有不覺自己既覺則神自覺神蓋應念而覺也其妙如此誰謂神可欺哉

問道中人目前見功效者多否。其餘心可定否。病已除否。祈

明指示以昭勸懲

救劫師曰。習吾道。遵吾訓。可望有成者。觀來亦無多人。其餘蓋難言矣。吾將切身之病。渾渾言之。各去對心。試問貪心重於道心者。有乎無乎。私情甚於道情者。有乎無乎。淫念濃於道念者。有乎無乎。我心勝於人心者。有乎無乎。以同類而分親疏者。有乎無乎。以同道而分厚薄者。有乎無乎。以靜養爲文過之具。以人緣爲沽名之階者。有乎無乎。此類吾亦數之難盡。又問一念不作兩念者。何人乎。彼心不存吾心者。何人乎。見利不生計較者。何人乎。見人不分炎涼者。何人乎。見事論理而不論情者。何人乎。處心以公而不以私者。何人乎。有過必規。有善必成者。何人乎。無隙可議。無懈可擊者。何人乎。時而仙心起。時而凡心起。時而眞心起。時而僞心起。時平時險。時淨時雜。心之機巧百出。時和時暴。時正時邪。心之轉變無定。以此觀之。道乎非道乎。仙乎或凡乎。人乎或鬼乎。莫謂吾言過刻。修道者敢存此心。吾豈不敢言諸口乎。非敢言也。不忍不言也。吾若不言。溺於苦海。陷於濁世。千生萬劫。終無了期。與其悔於後而無及。不若戒於先而可改。（改過要勇切勿苟安）改其言。復改其行。改其貌。復改其心。必使心不自欺。心不自是。時時在道。念念在仁。如此養氣則氣和。如此煉神則神淸。始雖近凡人。繼而又似仙人矣。凡有所犯之病。如吾所言者。以此爲當頭棒頂門針。方不愧吾門中人。不然彼不自度而只求吾度。不特勢有所不能。即理亦有所不可。此篇宜常看有過方好改問得藥結胎。溫養脫胎還胎諸妙法。但此訣千古未洩。今值大闡玄教弟子幸逢其時。叩懇

慈顏祈留道脈以正萬世

仙祖曰。凡人錯了錯了。錯談性命玄關竅。悟到從頭悟不倒。細與弟子說分明。長留道脈將世保。日也修來夜也修。神光照處是三寶。三台之下一輪月。陰陽交錯莫煩惱。心中是火火不生。火中現出靈芝之草。須向猛火中尋藥。煉藥不寒亦不燥。看看隱約間。斗大星照耀。莫論子午莫分酉卯。此些兒竅內機躍躍。無意之時春心好。這個裏胎有兆。交媾三時影尚小。忽而渾渾淪淪。

忽而明明如影泡。就此溫養陽九日。有胎無胎善自保。神定胎即定。神散烝亦渺。胎從無中有。脫從有中少。還胎待三年。乳哺方可了。從無得有易。從有入無非易到。從虛見實形。從實返虛亦難造。有這個。不用找。法兒妙中妙。機關巧中巧。有人求妙訣。萬兩吾不掉。（此真是無價寶）貪人不能知。愚人亦難曉。奸人更難會。假人亦難盜。（數人求道要誠）惟有那不今不古之高士。不識不知之老道。見得說不得。行好言不好。墮胎在何方。結在何道。脫在何時養在何竅。須知那搭兒是長生不老。是仙佛來來往往之大道。老仙已說明。留與修士仔細考。（仙祖已明諭不可妄求）

問火候不清大道難成。懇祈點明。

救劫師曰養靜人。要身心靜。一個靜字是上仙。八卦爐內火發然。自自然然運抽添。此中玄中玄。妙中妙。不見玄妙自然玄。此境要觀自閱歷方知其妙有點機關細細聽。無聲無臭有靈炁。靈炁吹開不用氣。妙諦之中有妙諦。今將此道著實言。還望智人善會意。吾雖明明傳與凡。火候之中層層細。莫謂此道無他奇。能會此意上雲梯。雲梯原來在本心。靈臺之下仔細覓。升降不用此雲梯自然往來自得宜。太緩太急俱不是。著相用力更拘泥。不言不言實難言。大道原來無字傳。吾今問爾修道者。先天看見在何團。有人能到此境况。火候二字更詳參。有意無意不自審。先天落於太極邊。火候在有意無意之間即孟子所謂勿忘勿助集義所生是也

問長生之說人多謂是不死此言殊謬祈明辨以破疑

肇天古佛曰。抱長生。說長生。長生惟有我仙人。不求天壽。不要人身。（說明了長生原不在人世）祇要這點靈炁存些微一線抱住。索上索下。倒翻順凝。有點些子微微氣。霎時忘却了四相與五行。到此時。那還有妻子身家。那還有六根六塵。安安穩坐在黃庭。不覺到那恍惚渺冥。心的性光發現。身上德澤潤身。功圓行滿已多春。忽然將這臭皮囊。拋在紅塵。到那山高水清。與仙家一路同行。億千萬劫不壞此法身。這才算長生。這才算長生。（若不死才算長生金仙大佛何以至今不在耶細觀此論自明）

問守中抱一久而久之有何景象可驗

玉蟾祖師日。風飄飄。雲暗暗。霎時離了蓬萊院。長生酒。永不換。一點眞炁不散亂。白鳥高飛。黃鶴遊轉。老鄙夫。癡迷漢。常常守住八穴關。一意不著。四相掃完。若有若無。自然用抽添。時時尋著那金蟬。不守即散。守之亦在當中站。此時心莫慌。意莫亂。那管他須彌山上風飄。那管他北海之下浪翻。淸淸淨淨。有無窮美景。實在快樂無邊。實在快樂無邊。風師現身說法。將功效一一傳出。修士照此行之。其效亦如是

問聖元經要記記要忘相固要忘法法亦可忘否

仙祖日。浩浩落落。活活潑潑。天地古今一氣作。自然造化甚工巧。四時循環氣自若。三九顚倒成妙覺。忘了法相心無著。法相兩忘方是眞空忘却忘却果忘却。既有回春手。又有踏天腳。無罣無礙逍遙

快活。一洞神仙永不磨。靜極時身已忘了法又從何用

問波羅密第一貴施捨然有倫常未盡者不能一概拋去當如何兩全懇祈分晰

救劫師曰。一概拋却固甚好。道岸獨登萬象超此是頓法帶盡倫常帶修道。內重外輕擇所拋。拋却了美色倫盡卻要絕慾財寶。見利思義莫妄貪求拋却了旨酒嘉殽莫貪口味只要不飢拋却了往來酬答。莫廣結交知心一二拋却了文字風騷莫過出遊只取適懷凡事隨遇而安。此何要緊此心惟天可表。此心正要緊只想金丹一粒服之長生不老。所鮮在彼所重在此朝暮不離黃庭。時刻把此性保棲息玉皇九成宮。靈霄殿上甚逍遙。都是本身所有松風水影渺然過花露竹葉最清高。歷舉修道之樂以形紅塵之苦說甚麼能幹。說甚麼英豪說甚麼技巧說

甚麼蕭條到頭都是一場空。那時欲了不得了。[illegible]惟願人人了塵緣。修大道。將來登蓬島。會三星與五老。這才算奇男子。大丈夫。不爲牽纏將脚套。此淸凉散也人人當服

問總火候乃無上天機其詳難聞懇祈慈恩明示俾天下後世有所持循庶道脈永遠不墜

仙祖曰。修成無上仙。修成無上仙。硬將那孽龍繫釣竿。挽轉黃河八千里長淸不濁甚悠然。身上法無邊。心內些兒不可添。旣在學道參禪。時時坐臥靜觀莫把那自然之物付於流灘。空心非頑。凝神非竪。浩浩落落何在。快快活活無邊。此意無人不曉。實在神仙難參。嗄嗄。不可參。不可參。好景原無景。上禪並無禪。

說不得說不得。自古天機不漏。凡拜吾者傾心與爾。不過將爾身中物指點一番。心是爾心。養之則安。神是爾神。凝之則圓。精是爾精。保之則全。誰言神仙法可傳。誰言大道度人。間度是已度度處卽是禪關。（此卽金剛經滅度無邊無量衆生度無衆生得滅度者之意又卽儒以人治人之意）妙不可言。言之妙非妙。玄不可傳。傳之玄非玄。道了罷道了罷。念莫妄起。意莫拘牽。活水源頭悟。浮雲散青天。似日日常朗。似月月常圓。此中機關非容易。尋之不得得在無心間。這個這個。自然自然。終無法却有法。有法便不是先天。老仙不嫌尋常語。明明道破了玄關。靜功莫從別地見。初念起時神仙歡。噫莫歡莫歡。不見了。不見了。又是一重欲界天。好比那萬物發生。不可用手拈。細心

體會老聃語。火候如今已說完。吩咐珍重更珍重。妄傳抬頭往上看。點明火候聽其自然

問言行總難中道此何以故

仙祖曰。處事休任氣出言要和諧言肆心必動。心動氣必浮。氣浮性必躁。性躁念必雜念雜事必差事差品必壞品壞身必失。追究源頭處。皆由心無主。老仙細分辨先將心養靜。心靜慧自生。慧生理自明。理明氣自平氣平神自定。神定意自閒。意閒言自眞。言眞念自清。念清本自立。本立事自當。事當功自積。功積德自深。德深仙自成。仙成無奇異本原在一心。以心字作主純用串珠體裁一反一正法戒昭然不朽之論也

問何謂性命雙修

仙祖曰。萬古常照此道名。誰能識透把心傾。無作無爲分終始。至玄至妙定乾坤。忽然回陽與反本。無中生有自知情。修性原是不離命。一生萬有卽虛靈。這個道。莫亂言。性命却有至理存。我今與爾細細論。一畫開天兩儀分。四時循環自然運。不見氣化有影形百物自然長而潤。不見天下費經營。大道無言化育並自自然然變化神。火然吹動便難定。添油何堪再著薪。如是如是須自審。此時恍惚似不明。靜極復動眞陽盛。仔細煉來仔細烹。天機還要眞師授。論價何止值千金。莫信邪言不從正。反失道本誤前程。

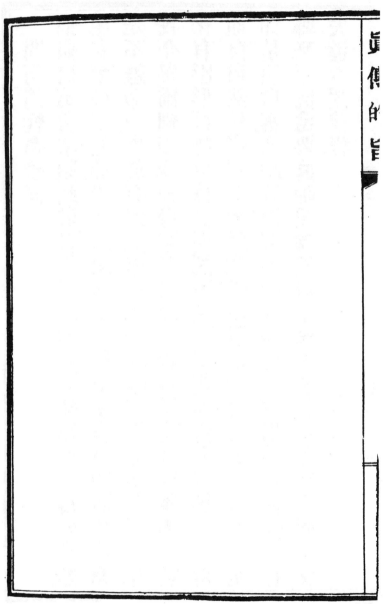

本來面目即未發之中發而隱也

眞傳要言續刻下卷

上卷係初入門時所傳尚禪言未露至十餘年後見其可成者多始將天機洩盡復命續刊更名眞傳要言合爲一卷以成完璧

問答

光月老人重輯
及門諸子參訂

問人皆可成佛否

牟尼佛祖曰。人人皆有佛。佛在心中出。低頭如是觀。會本來面目。佛身永不滅。佛性常圓足。妙諦本些子。告舍利浮屠。重洗心滌慮拜我西天佛。

問七七火候

仙祖曰。叩叩虛虛空空靈。心妙在一點空雲頭渺渺三星照照耀人間大刼逢。不好不好。蒲團誰能安安坐寸地不能自從容。修不盡的

忽忘勿助
順其自然

枝葉洗不盡的芙蓉。妙法傳之已久。誰能識透眞空。老仙機神用盡。明明白白。指點爾命有所終。七七火候隨意用其中渾化在虛融。非是無法可用。當識法在化中。並非全無點染。點染出自性空。無中自然必動。動處便有奇功。從此畧有知覺。覺處性勿勿勿安安復其本體。大化不求自工。嗄嗄私意。毫不可着。相意毫不可從。此處難在一語脫化。穆穆雍雍渾然一點眞炁眞炁渾於太冲。若說火候眞訣。妙景有見不空。但與凡人談妙。實處難分始終。動處便是實境。無着即是眞空。此點眞炁妙合。久煉塞乎太空。老仙直指此訣。外相一掃而空。言語微微重用眞炁一散如風。念頭稍差一點。眞炁落於後天之中。煉氣多加一

虛靈一物
無聲無臭

意。火候失於猛勇。此處着力不得。進前不得。一點眞炁。始而微微。繼而漸盛。充四海。塞天地。基於無中一動。動有常性。始而靜極時微動。繼而一靜即動。七日之內。不失其候。道無他想。不喜不愁。痴如呆相。其中切勿稍生雜念。此是七七始基之火候也。

問仙佛功夫何分

夫道本復先天。以煉先天中一炁。本一炁以結胎。何以言胎。即先天中之虛靈處中一物。不知是何物。不可名狀。但外邪不侵。私念不擾。自然漸長漸實。漸實漸虛。漸虛漸靈。漸靈漸化。化則無。無則不知何自而來。何自而往。渾渾淪淪中覺明明白白。此境非易及也。總之有後起之念。則本體蔽。見物即動。則本體失。

此是先天眞陽採以煉丹出神

欲得大道。先去私欲。欲得火候。在永定之始。自然不先不後。不緩不急。有一段清明氣。有一段安樂趣。眞妙眞妙。此屬上上乘。佛門中之妙蘊也。尙何生外求哉。至於修性。外求命功。一切逆上。用意烹煉於上中下。各分關鍵。各分層級。皆仙道也。若云向方受氣用法收心。無爲中之有爲。爲初入靜者設。非老仙所重也。

問眞藥是何果過關否

救劫師曰。夫藥者蒸也。心中未生以前所具。既生以後多失。煉丹之時。掃去雜妄。去濁留清。屏去一切。便見本來。此本來何以見。靜極一陽。初動便見。然陽有眞陽。今人視爲後天者多矣。不

此是後天熱氣用以築基補漏

知眞陽者。即靜中一覺是也。此覺即本來先天之炁。此炁即藥。何得言有藥。有說便非了。何得言無藥。無說亦非了。何也。自然之藥。不可視爲有。不可視爲無。故言不過關。蓋以本來自有是處修心。即是處得藥。何曾自外而入。然言必過關者。蓋以心中烹煉是功夫。而內用煉心之功。周身熱氣隨發坎中。自然逆行。而上至於丹田。非過關而何。總之言過關者。從發見可徵處而言也。不過關者。從本來歸宿處而言也。故曰無相無意自然過關。修士當玩味自然二字。妙絕。宜着意無相工夫。

問大藥發動時景象如何

師曰。大藥動時。恍惚渺冥。心中渾如太虛。和如春風。朗如皓月。

別有天地非人間故曰丟一關

澄如清水。甜如蜂飴。似知非知。似覺非覺。不知上下中間。是丟去一大魔關也。然景在內含味在中凝。視不見而若見。聽不聞而若聞。嘗無味而難舍者。又玄關開一竅也。故以爲添一關皆是一時之事。添一關者忽到玄關即文王之穆穆時也

問何謂五千四八

師曰。五千四八。即是眞陽初動一覺之謂。如女子天癸初至。本無意而發。自然而發。不待安頓時至。自見此即動中一覺之時。

問何謂守陽並火候如何得宜

月池即下關

犯此弊者十中八九

師曰。守陽者。初用功時。原是靜以待之。虛以含之。反以觀之。分眞意一線。從天根照月池。明明逆而行之之道。凡人痴注於陽

合式者即金剛之如是孟子之浩然

靜中一動儒云明則動動此也久則徵徵此也至道不凝凝此也虛后能

關。將本地風光竟忘却了。反言將中炁送於下。非自誤乎。況七七之功。不可視爲一定。百日亦舉成數而言。不見佛祖十年雪山乎。不見初祖九年面壁乎。不見純陽三年靜養乎。烹煉之火候。原無一定之成規。火候之早遲緩急。視人之性情剛柔血氣衰旺。或久或暫。隨時用法。況火候本無法。即合式以爲法。彼仙眞屢以成數律己。並以律人。得毋拘乎。

問性命原是一體。原是雙修。何以修性後復要了命

師曰。此是天機。明漏不得。所謂命者。即是煉性至極之後。一定大覺之時。靜中一動者是也。此命爲眞息之母。無此息則胎不結。無此命。則息不生。故曰煉性之功可言。煉命之功難傳。眞乃

仙佛命脈。至重至寶之處也。其實從性中出。特不點不知。不知便難成聖胎耳。此一定之理。萬不可缺也。

問何謂煉虛無

師曰。一物不着謂之虛。煉虛者。煉其靜明之體。修其浮思之累。蓋所謂實若虛者。煉之以復其本來也。一言難明謂之無。煉無者。煉其先天以前以後之交。加煉不得。淡去不能。指實不得。空虛不能。是所謂無中生有是也。此煉無之功。更屬至切。要那心明如太虛。意誠如渾沌。即爾煉到。爾亦不知此時便是時也。師今一口道盡。天機洩盡。爾能會其歸焉否耶。師數年教化。數年指迷。傳道非不多也。丹語非不顯也。總之始末未明。夫所謂道

煉心是克己煉性是止至善了命是大而化

隨者聽其自然也

者。始於煉心。繼於煉性。終於了命。心上功夫。自始至終。毫不可缺。然初煉丹之時。並無一法可施。惟於意念上刻刻打點時時覺照。動則隨物隨處認理。靜則至淨至明返觀。初學不能先設諸法。以管束其心。究之法即是空。空中不容一法。然而境到機隨。隨之者即法也。

問火候升降

師曰有眞火。有假火。動慾即火。動念即火。動力即火。動氣即火。此火由外入。隨心而動。何以有候。若是眞火。動中由靜。一覺之時。此火不可見。似覺非覺。自己心領眞意。一發隨發之時。即是候。一發或上升。聽其自升。一發或下降。聽其自降。或升或降。不

加是者正心誠意一念不起隨其自靜

加一意者。即是得宜。

問煉精化炁煉炁化神前後功夫如何

師曰。炁是何物。即先天之眞陽眞火也。未發時。一點渾淪。不修則不能化此軀殼。所謂頑定者。即徒靜之功也。然此炁何由發見。人生自私欲一起。漸漸消亡。不從靜字用功。萬不能入門。徒從靜字求探。萬不能成何也。天地自有眞炁主宰。倘若天氣不下降。地氣不上騰。則天地不交。萬物不生。故修道必修炁。私欲非克制有法。不能去私。私不去。炁不見。一切去私之功。非煉道之實際。乃煉道之初基也。從靜入門者此。故若心定欲浮。朗然一點靈光。斯時則功夫有法。此正眞炁將發之候。必從發處用

聽其自然
生根不可
著意

守中之功守陽之功此時正用用此功時有火候火候是何如是而已守此時眞炁一動則眞陽生生則必升到陽炁盛時充於四體灌溉諸脈者眞陽中有眞精也所謂水火既濟正是此時陽盛時必須善守切勿外念以感其心慾火以亂其炁守其元神意注命根聽其升上久之必降醴泉此時必然通體充實精神強健丹田如火氣疎而遠心和而緩自有陽火燒天境地食多則化食少不飢炎天不熱寒時不冷皆在此煉此方是煉精化氣眞功夫此時河車不用而自用不必採藥以待有時到火發丹田炁蒸玉頂方有採藥之法然隨生隨升有不採自採之機到此更有用採之時方用所傳採法採時方有烹煉之功

靜字最緊始發端乎常中虛不可能也

採者謂收所發眞炁歛於虛無之地以煉成法身即胎也煉有火候善自保養一日不言日日不言待胎成時方有溫養之功然何以驗胎結則我已在胎中氣不可自開任他周身變化而我在虛無裡若明若暗若空若實恍在天上無時不是如此非徒用功之效也此二境即煉先天也世之修道者動言煉先天不知果在何煉只道渾然不知渾然者乃道體煉先天必在靜極發動處煉動處即玄關一竅即所謂靜中有動是也煉此即性命雙修也性即先天渾然者是命即先天發動者是佛故言性不言命渾而名之曰明心見性見性之始用功即是修心煉性若煉炁化神以後功夫即是溫養不用守而自守不用定而

自定以靜始仍以靜終故有合煉之法人知合煉而不知合煉者不自去煉自然是煉所謂無所住者此也如是者亦是也虛中煉無法可名聽其自化吾見修士煉功有近於頑者有流於寂而不定者終無得藥之時此際快從此法下手火候皆在此中也

問外丹內丹何分頑空執着何辨

師曰此外丹非如旁門所言乃身中之陽耳有此一陽則外丹可修先修外丹後修內丹人當陽舉即炁之外見設陽動而心亦隨之而動是以動應動乃順下之道此絕不可彼動而我心仍靜是以動應靜外皆隨之而靜乃逆上之道久之炁積而旺

靜極時卽儒之養性

自然由靜而動。此動乃內動。卽內丹。內動而我心亦動。則炁亦將散。內動而我心仍靜。則此炁亦隨之而靜。一次動心固靜。次次動心亦靜。此靜字卽是法也。積而至於一月或一年。炁自直透三關。心亦如如不動。其中任他變化百出。不可着意。炁落黃庭或將升。或將降。又要煉到無中之時。方可謂大定。大定後。乃可出神。內外二丹。自宜理會。其實卽動極而靜。靜極而動。外丹成。而後內丹可就。修此內外二丹之法。卽此一靜了之矣。又勿謂修內丹已久。當金龜縮首。馬陰藏相。何有陽舉時乎。不知此陽因內而動。內之眞陽旺盛。外亦因之而然。但恐心性未養純熟。畧起淫念。眞陽必失。如將此念了絕。陽久自不舉。亦如孩子之陽舉不舉皆不知心何有動時乎道已明矣則上中下與合煉之功皆不必拘泥可知矣至於開關通關前不過爲言丹者權傳此法其實用一意往上升爲陽旺之人言也今人每言頑空又言執著不知其中別有深辨頑空者純陰無陽也執著者只望陽生也孤陽不是道獨陰亦不是道一陰一陽之謂道其實陰陽在烝之動靜上分靜極而動即無中之有動極而靜即有中之無無即是空無自有而致空也而非頑也有自無而來不空而實空也不可著迹不可拘泥聽其自然否則犯執著之弊然此動靜機關自去細審其初機有未動靜以守之或守下或守中或守上靜以待其動一動而神即自知從此用功自獲

益矣。

問何謂形神俱妙

師曰。此形乃變化之形。非軀殼之形。此神乃眞陽所化。須分老嫩。有神未煉老者。或源頭不淸者。到出頂門時。或見虛空而難升。或見景物而留滯。不能變化。只能閒遊。不能明行人間之事。只能暗識人間之情。此神妙而形不妙者是也。若大覺上乘。探原索本。直從心地用功。掃去一切雜妄。性功澄澈。性量充足。到一覺大定後。胎成神老。一出室來。或遊三島之外。或遊五湖之間。或遊鄉村市闤而化善緣。或於幽谷名山而顯靈跡。欲現則現。欲隱則隱。此神妙而形俱妙者是也。故修道者。宜知出神不

先天一炁是幽明古今天地人物公共之物即莫載莫破之道

可太早。亦是自有而無必心養得純純熟熟相掃得乾乾淨淨。念除得絲毫無有意絕得渺冥不見。如此方可出神。方是陽神。不爲陰氣所蔽。亦且直升於三界之中。變則變化則化出則出。入則入隨所欲而皆如其願。眞快樂無邊矣。

問靈光靈炁何分七七功夫何用

師曰。道者、合精氣神而言也。前曾示以煉之之法。總不外此三田用功。或時煉下或時煉中或時煉上。或合中下而煉之或合中上而煉之。或合上中下而並煉之煉之之不可執著煉之不可放鬆。總之圓活爲宜。如此用功。無非求得先天之一炁耳。此炁未見。靜以養之靜極後動。必然之理。靜則洞洞空空萬事俱寂。

萬念俱泯。動則踴踴躍躍。一靈獨存。日生而不滅。此謂之爲靈炁。且長存而不昧。又謂之爲靈光。靈光即炁。炁即靈光。彼外面所見之光。皆屬幻境。不可着意於他。休將靈光錯認。其中變化。自然而然。有不知所以然者。眞妙不可言也。彼旁門亦知此先天之炁。是爲金丹。但不知從身內探求。每誤認爲身外得之。於是有言龍女獻珠者。有言藥名服食者。有猜在丹爐烹煉者。種種弊習。失道遠矣。不知皆屬喻言。爾等亦素知之。切莫爲人所迷。道即此一炁。舍此不是大丹。舍此不是妙藥。舍此不是玄珠。凡用三乘與合煉。及七七之功。皆所以求靜耳。但此不必拘泥。活看可也。前數層不必細言。至於七七。更宜詳辨。有謂用一七七。又做一七七之功者。有謂用一七七。遂不復做七七之功者。俱非合式之法。吾爲之再撥。於何撥之。在認此一炁耳。炁一見即七七之功未滿。不必求滿。祇從此一炁修來。炁日煉而日長。日長而日盛。炁若未見。即七七滿。又必加以七七之功。總候見此炁。而後方可舍此七七之法也。至於間斷不間斷。亦從此炁考驗。炁若猶存。雖間斷不必重用七七。炁有不動。又不可舍七七從新用功。不然。既失於頑空。即是盲修瞎煉。雖老死難成。理已剖明。各宜勉旃。

問簡便妙法一言以蔽不參他說

三王古佛曰。欲求大道。非心定念靜。萬萬不能從有意有爲上

理屬元炁尚無朕兆氣有動機已落後天

用功。誤也。吾前所傳之法。並無一法。若再妄想貪痴。邪魔鬼怪。即在那一念中出。弟子弟子。吾今與爾命脈復還本體。即大道也。以外之言。即門外人言也。法在金剛聖元。一字稍着不全。誰云性命兩分。兩字即在一源。吾言盡矣。在遵與不遵。分成與不成。

問理與氣何分並用靜功微有淺深之辨否

師曰。大道不易言。成玉必經琢。何以用琢。有瑕故也。金必經錘。何以用錘。欲純故也。爾之瑕可知否。有瑕則不純。爾病吾言之屢矣。爾性多靈美也。靈而不善自持。則靈處即梏性之處。（靈含虛中不用）（靈元神用之爲識神故用靈足以梏性切勿犯）用氣則靈者必害理。用理則靈者可使氣。理氣

忍是念初動時微收以意化是念已淨時究不用意稍雜一念隨而不異便非至善便失性體

之界。先後天之用所分也。爾在氣上誤知否。氣不形於外美也。然氣動於內。而不以理主宰。外雖無惡德。內即有大疵也。在爾猶自問幾遍。本似無妨。不知謂無妨者。此氣也。非理也。功在能忍。尤貴能化。弟子爾勿負吾。吾可悲之甚。爾將前後事想一想。吾下一針砭。忍於動處。化於未動處。養到一太和景象。萬變何慮乎。不能到此境者。一僞字。是千古學道人通病。反是是千古學道人妙訣。師之切實語。此爾當急急者。和字功夫。宜謹記之。

問代傳口訣諸子。各參己見。有言用火候有十餘層者。有言守下關要五六年者。有言仙佛夢授。與衆不同者。有言冷師生前。私下獨傳者。有言專守眉頭山根者。有言要分周身關

此說點破切勿玄空莫入迷途悞諸性道

竅者議論紛紛難歸畫一。祈直言點破。使知法門不二。免壞大道遺害後學。

師曰。道外人固無容再嘆。道中人爲甚也癡愁。玄也談。妙也言。玄玄妙妙。只在口邊。平坦大道顯設機緘。問心中安平不安。吾無奈暗籌暗算。默默轉旋明指點。眞訣無他。也不過打掃心田。心靜神凝。神定氣圓。滿滿足足。何等完全。若是偏一線。千理失機緣。今夜明點破。一切定要刪。

丹語雜古

無量度世古佛 即白雲仙祖

道經云有欲觀竅無

修妙修妙。玄而又妙。妙而有竅。中有一老。靜中自妙。常見修士

欲觀妙妙
由竅中出
不到玄門

非清心不
能到先天
非先天不
能採元炁

不得其妙。徒得其竅。妙在何處。妙裡有竅。花開灼灼。機緘朕兆。無名無相。誰識其妙。一言道破。莫尋其妙。自得其竅。酒味蒸蒸。花影濃濃。不知其妙。乃歸其竅。好妙好妙。鳶飛魚躍。待到圓滿。天書下詔。

此道非異奇。平常有異驗。法用本來眞。眞中體一線。誠乃是本根。猶是粗中煉。誠之不可掩。極處此爲便。又云體明方用適。大道不聞見。非是無見聞。渺冥隱而見。

嚮月文通古佛 即救劫師尊

人事多變態。眞假難瞞吾。一念是天堂。一念是地獄。一念超三界。一念墮三途。念起多是病。藥就在不續。牽纏快割斷。聰明皆

非元炁不能生眞息非眞息不能結聖胎非聖胎不能出陽神非陽神不能來去無方欲化無方要從靜功下手

屏除。七朶蓮上座。八穴斷住足。心要十關靜。切勿起私欲。靜極忽一動。動處命脈出。似有又非有。似無又非無。杳杳而冥冥。恍恍而惚惚。杳冥中有精。恍惚中有物。微微然一線。體認莫疎忽。心走然必散。神昏然隨沒。時至神卽知。境到機自觸。陽自少而老。丹由圓而足。有時頂上轉。氣機自反復。心如如不動。任他變化出。溫養法自審。面目功宜足。天門大打開。毫光且冲出。神在光中見。了然於心目。得成金剛體。萬劫永不沒。即此是金仙。即此是大佛。這段好因緣。人莫自錯誤。各各力加勉。休爲事所束。叮嚀復叮嚀。致囑又致囑。

至於行道時。不必拘有法。不必拘無法。說有法不可。說無法不達。法須要活參。有無自省察。有時法當行。行莫太死煞。有時法當舍。舍之即是法。道在自心知。亦在自心覺。雖知似非知。雖覺似非覺。心能歸永靜。天性自活潑。心能歸大定。機致自躍躍。金丹原非他。眞炁是大藥。或時炁上升。上升心自覺。或時炁下降。下降莫太著。心不可稍動。聽其自己落。炁果落何處。黃庭內接着。黃庭何以胎。心靜竅自活。竅活七孔門。受炁胎結着。到此好景況。人須認的確。溫溫然養之。妙有不可說。以後多變化。前論已曾撥。今不必重贅。自去細思索。問爾修行子。可曾見也麼。縱然有炁動。多是在有作。此原是後天。非先天之藥。後天中先天。補漏基築着。先天中先天。成仙佛可作。先後天並用。不可着漏

時行物生
亦自然耳

取法天道
何用作爲

却。

道本自然淸淨法門。火自然發。藥自然生。內自變化。機自流行。

個中妙諦。聞所未聞。功進一境方明一境。效見一層方知一層。

無可言說。無可狀名。不假作爲。如是歸根。此是佛家最上一乘。

不必拘泥。活看則靈。勿太執著。失於矯情。不惟無益。害且及身。

不惟不安。勢必終傾。從違自審。見理爲眞。舍所當舍。行所當行。

誤者自誤。成者自成。

修道須誠一。世務盡棄之。心要刻刻樂。意要盡恬熙。有事如無事。一味養靈芝。莫存永遠念。莫貪長生痴。居然似木偶。是非絕不題。惟此一點靈。常常相狎昵。靜中生萬有。動處察幾微。如是

纔微動時尋到孔顏樂處

安神與存神上下同流正存此入定時

常如是。不拘亦不泥金鼎常溫煖。玉爐微微思久久靈炁勃空中結黍粒。到此美景況不即須不離。此也莫太過。彼也休不及。若有又若無。不虛亦不實。杳冥復杳冥。無知還無識。結就紫丹珠跨鶴升玉墀。

修道不能成道總由念頭不清。欲得先天大道。務要時時拴心。刻刻明心見性刻刻安神入定。時刻安神無昏心時刻安神無妄心。時刻安神無雜念。時刻安神無火生。時刻安神無濁氣。時刻安神源頭清。時刻安神陽自靜。時刻安神靈炁生。時刻安神胎自養。時刻安神胎自成。安神入定定中靜。靜中見性性中明。明明白白化軀殼。自然而然得長生。

精非淫精。乃先天之元精。即天一生水是也。

中下成一片。生生自發見。此中有合一。陽光此處見。此乃煉精法。有精方可煉。精從何處生。先機靜體驗。一身都是精。還要謹收斂。初下手無功。克制莫着念。下手即用功。火動添烈燄。微將神返照。空盡後來念。待到玄關啟。眞炁自出見。採處在動後。生時自然見。隨生不用採。身滿精氣貫。百節盡疎通。火發丹爐煉。眞火上虛空。採在先天便。（此便字許參）

度世廣元慈尊佛

一點玄關竅。錯認爲至善。至善是全體。玄關是初驗。這個妙法兒。從古罕有見。

法雨施萬劫。全在自心得。三生無此緣。千年難會着。一法參天

塞天地配道義即此命也

地。妙竅有誰覺。自入凡塵內言言與君說外功雖無缺將心無執著。念起難分明。即是入大魔。念起自分明。一念即大覺自心無夢夢。守性勿濁濁。修者修私欲煉者煉軀殼獨存一點靈火候勿猛爍。金中有陰陽眞命難自覺。從性功發見從命功收着。命在性中見。煉命於不覺。命與天爲體。知命始活潑吾今盡傾吐層層火候撥言來初基難。尸殼須早脫脫殼先煉性性根可尋着。靈光照土內。土內發眞藥。動候是眞命此地細審確胎在命中結亦在命中脫。神在胎中煉。亦在胎中活。神活胎始圓。胎息神知覺吾將付凡塵中有不可說悟者暗通靈愚者墮邪魔。一念分上下。一念悟眞樂。一念見性始。一念悟命末。一念得眞火。一念得眞藥。一念登蓮座。一念墜玉閣。念念悟心源。念念超凡殼。念念著私意。念念失至覺。喜爾諸弟子。今朝信吾說。傾心談妙果。細細語圓陀。一聲如來佛。願人心莫惡。願人早登岸。趁吾船猶舶。願人早抽身。幸吾法猶說。失緣可復緣。轉念即自覺。學道先閒身。身閒性自活。有境須忘境。家窘心勿着。淡淡過光陰。人生命幾何。眼閉空鬱鬱。悔時身墮落。早去凡人念。早悟神仙樂。神仙也從苦上過。誰能安閒登大羅。試想那天仙狀元。豈是貧痴人。能作邱長春。命何薄。仙無他之分。佛無他之樂。自修自造。萬般危厄向誰說。且看吾項下珠圓圓。煉了許多精神。才得成就一圓覺。性與鐵堅。煉化一爐陰陽火。燒吾性根。萬病脫

迴光返照
即儒之顧
諟明命

敬教天尊

妙化暫開。爲正大道。道非有異。人莫他好。道非無憑。機自先兆。无極之中。虛懸一竅。性在此立。命在此造。不奇之奇。不巧之巧。不玄之玄。不妙之妙。視以爲難。又覺易料。視以爲易。又覺難效。非效難見。功有未到。非功難進。相有未掃。大修行人。身日在道。復爾道根。振爾道貌。道悉長存。道心常抱。行住坐臥。迴光返照。太鬆水冷。太緊火燥。頑空非禪。執著非道。活活潑潑。冥冥杳杳。洒洒脫脫。逍逍遙遙。不要多言。多言氣耗。不要妄作。妄作氣燥。不要好動。好動氣暴。隨遇而安。休生煩惱。見機而作。休生計較。爭甚虛名。作甚虛套。當忍便忍。不可自傲。當退便退。不可過料。

恍惚渺冥則淵淵浩浩時也

同心同德。公惡公好。

金沙古佛 即觀音聖母

修煉原是心。一心在兩分。名利終不斷。道炁永不清。刻守六根淨。時防芥蒂生。人我同一體。彼此切勿分。功成須去己。己去道即生。坐照神勿散。行動心勿驚。見美如無見。見惡勿動心。見利心勿取。義在不心明。救世心可取。事要量力行。救人當以實。處己要以誠。勿生炎涼態。勿存是非心。天下容之易。富貴要看輕。荆榛雖滿道。用力去除根。修道原修妙。修妙在修心。

水晶古佛

道本我佛一炁生。父精母血是本根。一身四相合五行。八卦陰陽在此分。此一一中有千萬。恍惚渺冥。才認眞世人誰知我佛地。常拜我佛便飛昇。

如來如來歸一來。無一焉能有三才。時刻謹守一中事。朝朝打聽巧安排。刻刻這個休出外。時時那個拿歸來。有我在心眞自在。無我在心如土埋。

明通昭德自在眞佛 即冷一度師

緩急聽自然。不必着力。猛勇用抽添。無相更無意。無意自得大藥過上關。不知過與未過。無意之中得了快樂一金仙。

先天大道有何言。四時百物本自然。有欲無欲分妙竅。眞空頑空判天淵。平居靜養精氣神。說甚在塵與出塵。如如不動眞妙諦。廓然大公渺無痕。在家出家境雖紛。靈台靜坐休逐尋。任他狂風徧山渺。不迎不送泰然君。精化氣兮氣化神。神還虛無無形聲。洪濛未闢何所擬。渾淪會合一炁生。說到先天無言詮。一落言詮落後天。欲窮此中眞奧妙。須識父母未生前。精氣神足胎自含。七返九還火細諳。時時刻刻無疎虞。謹防邪祟暗侵纒。

痛懲法語

白雲仙祖曰。修煉本性。須早脫一切牽纒。早盡一生事業全倫道以培根基。復先天以證道果。私欲淨。神氣活。不見物欲而動。觸境而生。永念萬年。獨存一點靈光。照耀大千世界。則道成矣。覲門下道因。倘有未能悟通者。每生一妄念。輒望吾再傳妙法

照耀世界即光被四表人人有此性光爲私欲所蔽不用鍛煉之功終難發見

嗄嗄錯矣錯矣何有性外求命之理道在復全本體於虛靈處加一番煉養功夫始一念不生永念萬年見可欲不動見可怒不動見可羞不動則一線之靈明漸漸充滿擴大能上照九天下映五濁超昇仙境即此一點眞機也弟等有意求道總期三五載中便想脫殼而去問心自思念淨否心定否久靜永定否四賊能驅除否閒情能斬絕否逢仁心發時皆天良中出否道心起時非後起否依吾言來本體尙未能復本體未復安能神永定神不永定安能氣充足氣不充足安能身體化身體不化安能元神現元神不現安能脫俗殼而白日飛昇耶

救劫師曰弟等口談除私去妄渢渢可聽辨是辨非泱泱動人

神天可表。此言直達九重。亦當身赴瑤池。超脫苦海也。查其存心動念。大非口中所出。甚至隱蹈非禮。借此道爲伏奸之所。天地震怒。鬼神揶揄。此等人也。但日以道作利藪。時存爲己之心。時存忌人之念。問正心誠意在何。靜時一番眞念。皆是迷性之候。靈根未養。天良未發。自以爲眞。已墮於魔中而不覺。及至動時。私心環繞。伏制爲難。縱有一點眞心。皆爲孽妄所蔽。兩念交攻。理爲欲勝。皆是靜時未眞故也。此等悟道之徒。任爾坐破蒲團。九尺錫杖。打不破此迷路也。無惑乎悟道眞。信道眞。守道眞。又不能去忌念。忌者何。或因人言而忌。或因夙寃而忌。甚至恐人出我上而忌。心起於行道時。恐人與我比肩而忌。心伏於守道時。有所得則秘之。有所聞則私之。噫。誤矣乖矣。此心即魔障。道在何。此等人無成人念。無度人心。縱至氣充體厚。一片愚濁實而不虛。終爲鬼仙道。此一念功行。已欠萬萬矣。安冀成上覺耶。吾恐萬代後讀書而憶其世。慕道而仰其傳。空使後人老死句下。何忍乎。何愧乎。吾不釋然也。一切諸病。諸弟子如此染深生死大事。未看破耶。天地逆旅。儒者能道之。竟未能識之也。六尺之軀。只可作蓬島之遊魂。勿使作守土之肉團也。只可作青簡之光輝。勿使作黃土之汚穢也。身是假身。以之成道則眞心是眞心。以之背道則假。眞假關頭。子夜自思。當頂門一棒。闢開一條覺路出來。方爲上士。不然徒以吾言是愛。吾未必眞愛爾也。十餘年來。即教一堂秀士。務當掇巍科。衣黃甲。冠冕一時。黼黻朝廷。即蠢者亦能化濁質去舊惡。解弄風月。能持一管以赴騷壇矣。况爾弟子動曰聖賢仙佛。口不絕仙佛之號。心不絕仙佛之言。對壇則無形中有蓬山侶伴以相隨。勸教則無聲中有玉簡赤符以相授。尚困十餘年於利迷中也。然豈惟利迷而此其甚者也。爾等修煉眞者吾不怒。爾以修煉爲兒戲者吾不想爾爾自墮孽海。千載後爾當悔不完一個假字。莫道吾不與早言。能超出未了之事業。方爲超羣能解脫難了之牽纏。方爲解人。一絲一粟何足掛道士胸懷也。師言盡矣。各宜勉之。

吾本開化苦志。種種心念。知吾者吾安能舍也。背吾者。吾安能宥也。師曲曲折折。十年中心血費盡。爾等是一頑石。當亦受吾靈烝能會意點頭矣。歷代修眞之士。誰有如此奇緣。彼昇仙者。何其志高心定也。爾等未負靈根耶。要皆有根士也。憾爾等自願墮沉淪耳。可笑痴士或有存遇緣即成。不須十分磨煉。謂吾有大神通。能度孽根於蓬島也。不知吾可比一指路之碑。能與爾之法。吾能與爾之心乎。能與爾之福。吾能與爾之命乎。爾不自修。吾豈如塵世私情。昧吾天眞。曲護於爾乎。爾不體訓。吾將爾用天律拘執。吾豈不爲情乎。爾不自改。吾豈能將吾之心。吾之神。分作千萬億化入爾俗腸。使爾自靈乎。吾層層指示道者自道成者自成。仙非仙度。乃自度耳。佛非佛變。乃自變耳。吾與

不遠禽獸豈不可畏

一片俗心腸安能脫凡胎換仙骨

爾等痛心之言。亦只能度眞心之士。不能解爾等自造之孽也。爾等既聆吾訓。吾與爾有師弟之分。已種師弟之緣。爾即如禽獸草木。吾不能謂非吾弟子也。但爾不自造。吾亦不過視那禽獸草木。隨因救因以爲是吾弟子。斷不能度爾也

觀音聖母曰吾觀朝暮打坐者。見之未嘗不喜亦未嘗不怒。可喜者切身痛病。時時有斬除之念時時有斬絕之力。無求名心。無求利心。無存人己心。無存去來心。即是大道。何爲大道。心無一念之差。便有自得之象。無一念之貪。便有安樂之意。心無一念之動。便有恍惚之景。如此清靜。靜極則道生。吾望之愛之。功成時必度之。可怒者刻刻守靜。心如天馬飛空。時在名場攪擾。

時在利藪妄想。時而子孫計較。時而家兄計較時而有見道之念。時而有求效之念如此心昏氣濁。夢魂中便有千萬億劫魔障。吾安有不怒

救劫師曰。大道在自心。念淨是功。定靜是體。此外無道差些子。即魔道也。爾等息心靜氣。刻悟眞妙。方爲有得

三丰祖師曰。衆心用刀。割情斷愛。除去一切魔障。願苦心修煉。倫全者。卽一刀割去牽纏。未全者。當下用斬釘截鐵之力。以全倫全道。前之猶豫不决者。今當猛下針砭。縱至家破身亡。在所不辭。此願當自眞性發來。非徒一刻苟免之意。願以死亡殉道。身可失而道斷不可失。如此等眞士。有數十人。卽是天地交泰

之會。何望斯世盡然哉。

吾留形三百餘年。何事耶。睡破石苔。肩斷藜杖。身染風霜。足踏險阻。並無一念依回。是何心腸。甘受此況。無非爲道耳。諸生幸遇末劫。共結奇緣。心尚兩可。何自輕身。不肯舍此末路。了此大緣耶。早知世人多心。神仙不肯發願。今也仙凡各盡。兩心相對。成者自成。悞者自悞。皆無如何也。

關聖帝君曰。談道須從性地中。滿腔血氣志難終。枯腸檢點人間事。何日培元還太空。坐悟機關識也不。心心念念爲人愁。諸生倘遂吾之願。即可昇仙世外遊。勤王文付在凡間。字字珠璣任往還。展卷愁眉三大字。誰云此事不艱難。性道莫將此理空。

一毫念始要通融。天心原與人心合。寸地須當用此功。觀爾等誠誠懇懇救不轉世間愚人。欺心事。絲毫莫混。度人念。刻刻要眞。倘務名虛聲必隕。天眼恢察察必明。論心念功過並論。首孝弟次施錢文。務空名定遭報應。欺世者萬古臭名。子而孫折福短命。漫道說誑言超昇。吾之語銘心鏤性。談道者愼勿自輕。救世念須當勇進。挽不轉亦自盡心。觀壇內人分三等。有奸宄枉入吾門。刻骨語。急急猛省。若不然地獄寃魂。次修性當知自定。家庭內無愧一生。其上者念念守性。臨事時再加堅貞。倘背吾私心自逞。吾暗裡決不容情。拖刀起雲頭觀定。爾諸生謹遵謹遵

勸勉歌體

逍遙大仙云吾本逍遙仙。騎鶴下南天。乾坤頂上轉。日月一肩擔。歷盡了九川八極。閱遍了海島雲山。數不盡其中景態。說不完其中事端。看來鮮妍的是草木。錦繡的是山川。世界花花皆虛幻。勞人草草不足觀。曲兒唱一唱。瑟兒彈一彈。長詠高歌到此間。風飄飄兮風動柳。雨霏霏兮雨連天。春光老兮不久耐。春意回兮倘流連。物逢晚春兮色榮而秀。人到晚年兮氣衰而殘。功當因年而長進。事當及時而做完。何故悠悠忽忽愚愚頑頑。昏昏濁濁。倒倒顛顛。朝朝在酒裏臥。暮暮在花內眠。時而在是非場中去打攪。時而名利路上去盤旋。滿腹都是俗腸掛說甚妙來說甚玄玄理微微至平易妙法空空本自然試問爾四相掃也未掃試問爾三心捐也未捐試問爾三千功滿也未滿試問爾八百行圓也未圓歷觀古今徧覽塵寰或高風可表或芳名可傳都皆是內功成外功完才能超出夫世外才能高過夫人前那有不盡忠孝之神仙那有不講心性之聖賢那有理欲並立尚可以爲眞君子那有功業全無尚得稱爲奇兒男今查爾緣內且觀爾壇前奇兒男是誰眞君子何見希賢希聖多虛名學佛學仙少實驗實驗人當求虛名天所厭忠義心各存孝弟事各全心須要眞修性須要善煉存理遏欲念念莫亂建功立業多多爲善日月本如梭光陰恰似箭在一日算一日得一

天過一天。人生在世幾何年。心不可姑待。身不可苟安。外不可因循。內不可畏難。境不分順逆。時不分常變。功不分始終。事不分久暫。一心心悟此道時。刻刻在這團。後天生出先天藥。七品煉成九品丹。到那時脫殼飛昇。與吾同登極樂國。與吾同上大羅天。欲隱則隱。欲見則見。欲行則行。欲變則變。妙不可言。美哉無邊。是何等快活。是何等安然。吾一片心腸。爲的是勸凡。爲的是度緣。還望爾諸生自思自量自打算。喜乎不喜。願乎不願。心果喜依此路而行。心果願照這事兒幹。方不枉爾在世一場。亦不負吾化此一番。吾不多言。勉旃勉旃。

白雲仙祖曰。字字言言透透澈澈。凡曾體貼未體貼。漫道今日不修有來日。此月不修有來月。天君常喜在靈臺。主翁不可出安宅。守顏之四勿。學孔之四絕。五蘊空。六塵滅。圓陀陀皎潔潔。光灼灼。意默默。心地常空明。如天清日白。襟懷自灑脫。如光風霽月。機致之活潑。比魚躍鳶飛。寬大之度量。比天空海闊。大智兮若愚。大巧兮若拙。子不見進履心何謙。子房名猶烈。又不見胯下辱能受。韓信心自得。邱長春苦難曾受百佛往昔身體曾割截。彼能一時想忍過。遂爾千古稱奇特。子房不失為英雄。韓信亦得為豪傑。長春登仙作狀魁。佛能鎮主極樂國。吁嗟兮凡客。何不做照乎古哲。謙則能受益。滿則招損尅。太柔固不可。太剛亦曲折。理有十分是讓三分而得。語到盡頭處。留半句莫說。

理要想對面。心不可激烈。事要慮前後。必不可忙迫。從高處着眼。從大處觀節。切勿因小而失大。切勿舉一而廢百。一切私情吾不言。暗中自然有分別。

大丈夫昂藏七尺軀。豈可作苟安偷生計。將往古來今事。澈底去尋思。那曾見私心顧己之人成大器。那曾見欺世盜名之人無敗機。惟有公心爲世者。可能動神鬼。眞心救人者。可能格天地。到頭時。人也安。事也利。生也榮。死也貴。功著當時。名揚萬里。千載下且能傳聞其事蹟。尙不磨滅其姓字。余何人兮。試捫心自思。皆具有男兒骨。獨無英雄氣。將柔風急力挽去。把精神猛然振起。人云亦云。恥所不爲。獨斷獨行。眼空一世。漫去說枉道求合。漫去說趨權附勢。腰不爲五斗米而折。介不以三公位而易。貧與賤是分內該受的。家私富與貴是身外儻來的便宜。雖人情有冷煖之各異。世態有炎涼之不齊。概置諸度外。毫不容芥蒂。閒無事閱此書。窮些理。廣些識見。補些智慧。熟些韜畧。造些經濟。道可行時便行去。出處須宜自見機。隨人的心。量人的力。因人的才。儘人的志。把名教去振頓。把綱常去扶持。把世道去救正。把人心去化齊。爲國家積德累仁。代生靈興利除弊。惡則規之善。愚則教之智。危則令之安。亂則使之治也。不枉頭戴天。足履地。身居中土。名留在人世。是誰說赤手空拳。草布單衣。不能維持斯世。去把那千秋不朽的事業。立縱至力窮勢迫。萬無可爲不能進不能行。也不要後退而中止。殺身成仁。舍身取義。遵孔孟之言爲將去。方不背聖賢之正理。俺一片憤激語不知有心人果是誰。那有志者能有幾。非敢作敢爲之無其人。奈作爲者多不能到底。約而觀之。大致可矣。實而按之有歉多矣。而今已矣。後會難矣。凡來此地者。俺再問爾一語。心到能存不存得堅志。到能立不立得起。能則天人皆歡喜能則鬼神皆護庇。有許多妙用巧機。人何憚而不爲此。此既不能或者覷破世情。看淡世味。跳出世界。了脫世事。去做一烟霞客。能作一眞仙子。也不必改裝換容。也不必棄子拋妻。也不必詡詡自是。將局外人攻擊。也不必察察爲明。將局中人譏刺。寧學愚。勿學智。只好正。不好奇。日守着安樂窩。如痴如醉。身居在清虛洞。無是無非。能忘情。又忘迹。既無思且無慮。飢來時便餐。悶來時便睡。日在那靜中作樂。有誰來攪擾。有誰來禁止。心上地修得個純淨可美。性中天養得來圓明無虧。靈光冲日月。道氣塞天地。浩劫可消。黑障可退。有甚災運不能息。此亦可作上帝之功臣。乾坤之肖子。知非一年一月一朝一夕所能驟然而至。此奈爾道中人。難遂吾心意。游移者甚多。眞定者無幾。靜處心猶可。動時心妄起。利名關打不破。酒色病害不已。爭鬬場走不出。疑忌弊除不去。痴求痴望痴想。尚物欲多蔽。偏好偏惡偏聽。却公心有失。至誠无妄者少。逆來順受者誰。俗心俗腸俗人氣習怎能夠復先天成乾體。得爲仙佛眞種子。雖論人當節取。不過受眼前設議。到後來結局時。豈有個功不圓。行有虧。過惡未除盡。缺陷未補起。遂能跨仙鶴。乘雲車。得證那菩提。得登那上品地。絕無是理。絕無是理。喝頭一棒。生等快醒去。勿再久沉迷。設兩途於此。出入善步趨。入世有入世的本領。出世有出世的修爲。知歲月之無多。嘆光陰之可惜。立功立德在及時。不可虛生此一世。富何足誇。貧何足慮。貴何足榮。賤何足恥。只有能救時者。於人世有濟。能眞修者。於身心有益。吾將去矣。勢難爲矣。計無復之。當從此止。

鏡　久經陶鑄。偶發聰明。敬擬先天大道七律十則。附諸篇末。

非敢以魚目混珠用瑕掩瑜。特表其化愚之神功。善透夫慕道之學士。伏冀高明。略迹原心。不以狂妄相加則幸甚

從來无極最爲先後判陰陽後有天。象盡包羅無所缺。圖聊點綴擬其圓。形容縱巧總牽强。情狀難名只渾然。萬古智愚賢否輩。人人各具未生前。

許多修士得其偏。不昧虛靈道體全。願學文王尋穆穆。默朝上帝入淵淵無聲可聽更無臭。在後忽瞻未在前。下手不知无極處。蒲團坐破枉參禪。

境到至誠玄又玄。彌高彌仰且彌堅。自無而有見眞我。運實於虛煉上仙。稍用靈心即牿性。復還本體可參天。夫焉有所倚之

句。讀者誰知妙訣傳。

熟記丹經有萬千。箇中消息少看穿。念生便要斬當下。身坐漸忘在那邊。至大至剛休考驗。勿忘勿助任回旋。三元會合五行聚。不假作爲順自然。

細思未發謂之中。太極隱然在我躬。靜抱元神成恍惚。擴充浩氣塞虛空。無仁無義並無禮。統北統西更統東。以道鑄人歸化境。絲毫渣滓盡消融。

視有若無實若虛。虛無二字載於書。樂尋此處方知本。性盡斯時正復初。下士精神難變化。後天形體未消除。不明顏子屢空者。徒飽古人糟粕餘。

自己良心認不眞。遠人求道渺無因。與知弗論愚夫婦。及至亦成蠢聖人。天地甚宏難覆載。鳶魚雖小盡敷陳。止於至善功誰用。明德不明任染塵。

修道原來在本身。經窮皓首枉艱辛。書中那有孟夫子。心內誰無孔聖人。滿腹便便多學士。虛懷浩浩少天民。同流上下是何物。君子所存一點神。

一字眞傳只煉虛。先天大道掃其餘。矜奇炫異休貪彼。說妙談玄自問予。口訣終成門面語。（爲徒言者說非眞無口訣）意誠槪棄案頭書。禪機洩盡今難隱。正教昌明邪教除。（教名多樣洋教背理更勝）欲罷不能樂最眞。淺嘗輙止豈相親。靜安慮得始知道。博厚高明都在人。集義所生胎結聖。至誠無息慧如神。明傳一貫非多學。心法尙存要謹遵。仙佛源頭齊看穿。孔門心法並相傳。必誠其意是眞訣。允執厥中即妙玄。儒道會通同釋道。後天消盡復先天。徒知甚易行難到。六十春光又四年。年周卦數道猶未成愧良多矣繼其後者切勿效尤

跋

竊思此書之闡發。固爲古今所絕無而此書之由來。亦爲古今所僅有。鏡 忝承重任。親睹實情。並非荒渺無憑。眞是神妙莫測。恰肖夫河洛之圖書。彼乃假靈物以發其祥。此則托巽人以設其教。妙哉妙哉。同一闡道之意。化人之心也。夫巽人爲誰。係嫡堂姪 名 玉桓 字 純長 道號 冷一。時値道光三年癸未歲十二月

廿六日。誕於赤水封火樓。幼時本樸。讀書最遲鈍。處境極貧寒。旁觀者咸視爲不移之下愚。幸前數代。永以忠厚傳家。痛戒嫖賭。忍息官非。親愛骨肉。和好鄉鄰。除耕讀外。置若罔聞。積厚者光必流。根深者葉自茂。此理眞信不爽。忽於道光二十三年。甲辰冬。暗蒙救劫師尊。將冷娙默化。智慧頓開。察人隱微。洞見肺肝。此風一倡。信從者衆。事以師禮。往來請益。初入門時。常教人詳記功過。勸與宣講。克敦人倫。廣行善事。屏去一切俗習。不爲所牽纏。經周年後。始遇　白雲老祖。漸遇　諸佛諸仙。每次降臨香壇。代傳法語。於是大開玄門。重授眞訣。使門下悉知養性妙法。至咸豐元年。六月四日。離塵西去。年方廿九。異香撲鼻。金光覆頂迴殊凡夫曾云吾之下凡原非謫貶因大道久墜浩刧將臨邪魔弄人夷種嫁禍三千年大運一轉正在斯時欽領法旨現身開化復接三教道脈永正萬古人心功成卽歸不久凡間繼吾法門者欲精益求精誠心叩請吾與眞仙隨來指示後設乩壇果如其言通計始末顯化塵寰二十餘春言言性理字字天機未出一浮詞未談一怪事集稿數本難以罄傳焚摺默禀攜刋傳世沐　恩師三王古佛臨壇命鏡重將避禍焚板之眞傳的旨細加揀選去煩就簡分爲上卷更搜後日秘授之眞言採其直捷了當痛切勸戒者續爲下卷名曰眞傳要言前後合集公諸天下後世使人皆得爲聞道之君子吾師大發慈悲

利何溥也。蓋此書告成。發揮已盡。一覽便明。諒無蓄疑。然猶有可慮者。如覩指路之碑。程途雖詳。未若親歷其境之人。觸處洞然。始終一轍。不迷歧途。吾發此慮。非過於逆料。曾見同門之高明輩。久經仙佛裁成。尚難免執偏見之弊。各分門戶。且失一脈相傳之眞。何況後學徒在紙上揣摩。安能心心相印。絲絲如扣乎。故不得不再告得書明理之高士。慎勿淺嘗書味。便自以爲是。恐毫釐偶差。千里遂謬。墮諸魔道而不自覺。須更訪深造自得之名師。層層點穿。和盤托出。果得眞正之主腦。方可下手用功。直達神化妙境。若而人者。如此慎行。匪特不負金仙大佛久年設教之苦心。且能大遂五姪。冷子降凡度人之隱願。更足以守先待後。使道烝長存。不息於百代盡美盡善。其道大光。何幸如之。

光月老人

一貫心傳總序

自古上上玄妙。密密天機。非到數窮勢迫之時。斷不明明洩盡。許人共聞而共知。然時至於今。道反夫古。邪說盈天下。夷教亂中華。綱紀雖存。斯文將喪。而且賊風遍擾十八省。治世之人材可知。干戈已動廿餘年。受害之生民堪憫。世愈衰而道愈微。天彌怒而人彌怨。當是時也。非得盡性至命之高人。難顯旋乾轉坤之妙手。何也。人身性命之的處。即與天合德之實際。德既合天。天必惟德是輔。以斯人而撥亂反正。直反掌間耳。有何難哉。非然者。任爾智精三略。勇冠千軍。霸術同流。終不濟事。縱至殺身成仁。舍生取義。不過盡道於一己。究難協和夫萬邦。何况肥家潤身者不計其數。忠君愛國者未見其人乎。嗟嗟。天下滔滔。長流不返。回狂瀾者其誰。幸沐仙佛洪恩。大放慧光。普照濁世。弗忍災害並至。鳥獸同羣。不得不發一慈悲念。以解倒懸之急故命愚代註陰符經。准將素所獨得之眞傳借經發明公諸天下。以救蒼生。脫稾後親臨批閱。姑許僅可。又命愚將平日秘傳門下之金剛論。與中庸論。附後合刻。顏其名曰一貫心傳。顧名思義。已會 仙佛深意。匪特使人咸知三教同一貫。休分門戶且欲使人咸知一貫之道。受於生初。較三教 聖人不減分毫。奈無明師傳受。引出愛河。深爲可惜。夫一字之言。載於書者固多。一字之義。解於紙者亦不少。究未詳指其在人身中爲何物。

令閱者貿貿。不知從何下手。無惑乎由天德而發爲王道者寥寥也。愚奉命闡道。不敢不一口道破。實眞性內。虛含一點眞命。即不二之物。天地之道。易謂生兩儀四象之太極者亦此也。孔云、吾道一以貫之。孟云、道一而已。太上云、抱一爲天下式。又云、得其一。萬事畢。數一字俱暗指其命。含而未露。待學者造到一覺之候。方能自悟自知。愚前以一貫論金剛者亦不越是焉。伏願志道之士。速脫纏身之萬緣。自得開天之一畫。同爲玄門弟子。普掃亂世奸雄。復還兩箇乾坤。另闢一番世界。則四海之人民可安。三教之道脈可振。即萬世之綱常亦不墜矣。更冀高明細思此書關係。大平不大。得聞眞道、平不幸。欲爲完人。學乎不學。望救燃眉。急乎不急。是在人之自勉。

同治癸酉重九光月老人敘於老陽山

清風古佛序

反經錄序

當今之時。人心反常。世風反常。天地反常。萬事萬物亦反常。奇奇怪怪。多見多聞。理之所無者。竟爲事之所有。反常爲變。一反而無不反。一變而無不變。由今視昔。覺宇宙間頓開一大變態也。假使坐觀成敗。聽其變更。而不反變爲常。吾恐愈變愈異。愈異愈亂。遲之又久。積重難返。靡所底止矣。憂世憂民者。苟不急急下手。扭轉乾坤。飜轉面目。反邪說而歸正道。反逆匪而遵王化。反叛夷而復聖朝。反奸雄輩而存忠義心。反小人儒而爲君子儒。反假僧道而學眞釋老。而欲使當今之世。撥亂反正。歸眞反樸。勢必不能也。然反之之端。固當由大而反小。而反之之法。

亦宜由末而反本、提其綱領、清其源頭。庶能風行草偃。捷於影響焉。綱領維何。三教是也。源頭維何。心性是也。三教聖人。無他道也。不失夫本然之心性而已。心也性也。人所同具也。以三教教天下。是以心印心。以性感性。如以薪傳薪。四通八達、從往咸宜。何難反既壞之人心。而復還其天良。反已頹之世風。而仍歸於淳厚。反不得其正之天地事物。而各安其位、各當其理。則知以道援天下者。由反手之易易也。苟舍心性而別爲圖謀。任有擎天手段。蓋世經綸。不足恃也。因名此書爲反經錄。經常也。欲人人反求諸身。而自得其五品之常經。以復其固有之良。而去其舊染之汚。不待刑驅勢迫。智取術馭。自然循規蹈矩。不敢離

經叛道焉。故孟子曰君子反經而已矣。余所錄者。不拘定格。雜
體附載。非好弄筆墨也。非愚而好自用等。生今反古者也。不過
撫時感懷。悲天憫人。偶發反經之意。空談反經之言耳。反躬自
問。愧不能爲反經之君子。先開其反經之鴻猷。伏願識時務之
俊傑。高着眼孔。覷破樊籠。同以天下爲己任。盡心竭力。救衰扶
危。上輔六尺之幼主。下濟四海之生靈。德洽朝野。功同孔孟。豈
曰小補之哉。

同治元年立秋後一日眉鍾山人　自序於知足堂

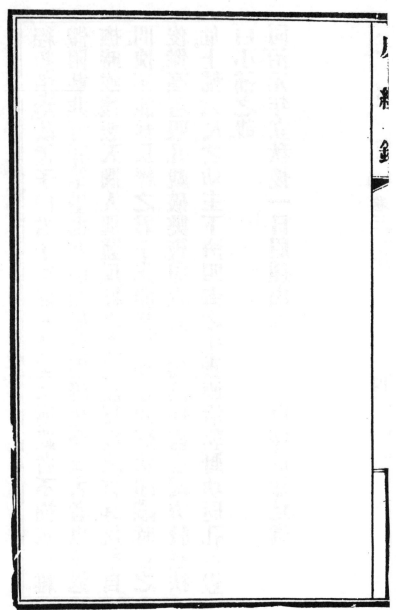

反經錄

三教合一論

赤水光月老人著
及門諸子同校

夫三教並立。鼎足乾坤。猶天地人之配合爲三才。日月星之輝映爲三光。知仁勇之成全爲三達德。並行不悖。缺一不可。古今來宗儒教者。每闢二氏。皆由不知二氏之的旨也。果能會通金剛道德之微奧。千言萬語。無非教人存理遏欲。純養性天。與十六字之心傳。若合符節。何至以異端加佛老耶。然理雖無異。而教有不同。佛老之立教。去膚存液。探本溯源。專談先天。而不談後天。自誠而明。一本散爲萬殊。特爲上等人立其教也。聖賢之施教。由淺入深。由博返約。多言人道。而罕言天道。自明而誠。萬殊歸於一本。原因中下人施其教也。故佛老之文字。玄遠幽深。不似聖賢之語言。彰明較著。惟天下至誠。深造夫淵淵浩浩之境者。始能悟夫虛無寂滅之際。彼尋章摘句之徒。差毫釐而謬千里。固屬門外漢。間有陶情淑性之士。縱升堂尚未入室。終非箇中人。蓋理窮盡處。不落言詮。空而不空。正无極而太極也。玄之又玄。精益求精。心能領會。口難形容。不比尋常道理。非達天德者。不能知也。源頭不澈。流弊遂深。毋怪分門別戶。千古疑團無人解釋之矣。夏蟲何可語冰。仙佛經典姑置不論。第就朝夕所熟聞熟見者。略舉一二語。以切指之。士子既讀聖賢之書。自謂為聖賢中人。曾將仲尼所云君子中庸。小人反中庸之言。自驗之乎抑將孟子所云人異禽獸幾希之句自證之乎。多有信口讀過。未嘗細心揣度。孰知孔孟之所謂中庸與幾希者所關甚重也。所包甚廣也。何也。此即明德也。即天命之性也。即天之明命也。即良知良能也。即至大至剛也。即莫載莫破也。即不覩不聞也。即無聲無臭也。即鮮矣仁之仁也。即須臾不可離之道也。慎獨慎此也。日新新此也。復禮復此也。明善明此也。時習習此也。操存存此也。尊德性尊此也。止至善止此也。致中和致此也。誠者自成成此也。集義所生生此也。知性知天知此也。以及美大聖神。高堅前後。皆由此而造其極也。惻隱羞惡恭敬是非。皆由此而發其端也。悠遠博厚。形著動變。皆由此而積厚流光

也。子臣弟友。修齊治平。皆由此而明體達用也。要之堯舜之心
傳孔孟之心法。皆此之謂也。五經三傳。諸子百家。皆由此出也。
君子之道費而隱。道在是也。萬物皆備於我。備於斯也。則知仙
佛之所爲仙佛者。舍此別無下手之處。聖賢之所爲聖賢者。外
此亦無入德之門也。讀書士子。試將孔孟吃緊數語。凝神息氣。
字字返躬自問。依中庸而爲君子耶。反中庸而爲小人耶。存幾
希而爲人耶。去幾希而爲禽獸耶。平心而論。天良難昧。吾恐欲
求爲小人而不得。欲免爲禽獸而難逃。此等學人。違背聖賢。顯
爲儒中之異端。聖人復起。吾恐鳴鼓而攻之。深惡而痛絕之也。
彼反洋洋得意曰。我輩聖人之徒。非同佛老可比。左支右吾。東

挪西扯。每借古人闢假僭假道之糟粕。引作闢眞仙眞佛之證
據。況當世多旁門小術。矜奇炫異。使人盲修瞎煉。而二氏之眞
傳大壞。神道設教以僞雜眞。山精水怪。冒仙佛而降筆著書立
說。捕風捉影。而二氏之眞種愈晦。察察爲明者。更得借爲口實。
一唱百和。牢不可破。譬如儒中亦有君子小人之分。豈因小人
儒。遂謂儒不可從。將君子儒而並斥之乎。斷無是理也。夫高談
雄辨。最好攻伐人短者。乃儒家之通病。匪特以此教而攻彼教。
即同一儒教。且互相攻擊。各執一說。各樹一黨。爭長較短相沿
成風。何況二氏之教。分而爲三。勢原相敵。豈容等量齊觀而不
多方議論耶。吾嘗歷觀諸儒之至理名言。推到致命源頭處。本

與二氏同出一轍。談及用功細密處。亦與二氏並無兩途。乃斥斥自好之流。恐後人疑其爲佛老。强辨其爲聖學而非道學。吾誠不解聖學學何事。道學學甚麽。何異言水者而辨其非泉。言火者而辨其非燈。令吾不禁冷然一笑焉。又有一等皮相之士。徒論三教之迹。而不會三教之心。恰似庸俗論人。只辨以面貌。分以聲音。別以姓氏。而不知人同此心。心同此理。天下無性外之物。雖天地萬物。本吾一體。豈三教之聖人。尚有不同乎。即如微子箕子比干。三人之行踪。迥不相侔。孔子皆許其仁。伯夷伊尹柳下惠。三子之胸襟。各懷其志。孟子皆謂之聖。若而人者。幸經孔孟斷定。設遇此輩。加以品評。不但雲泥之隔。定遭不白之寃矣。昔孔子稱西方之佛爲聖人。贊老子爲猶龍。且尊之爲吾師。文昌陰隲文。曾云奉眞朝斗。拜佛念經。聖帝覺世經。亦曰創脩廟宇。印造經文。此三聖人之主持儒教。素爲士子所尊崇而敬信者也。敢將三聖人所敬信者而毀謗之。是三聖人之識見。反不如若輩之高明。闢二氏即闢三聖也。狂妄已極。非地獄種子乎。合而觀之。可見迂儒之輩。不但不知佛老之眞妙諦。亦並不知聖賢之眞命脈。徒假詩文而竊功名。恃博覽而爭舌戰。好嫖賭而誇風流。開洋煙而矜雅致。幸得一官半職。吐氣揚眉。以逢迎爲才能。以苛虐爲經濟。以奸詐爲良吏。以粉飾爲太平。色取行蓮。裝模做樣。如此虛假情形。與優孟衣冠。當場傀儡何異乎。嗟乎。士品之壞。何至於此極乎。豈天之喪斯文乎。推其故。實由教化未明。理學不講。專事文藝。不修德行。教學師長。以其昏昏。使人昏昏。因而子弟迷失本性。心無主宰。邪正莫分。陷阱自驅。以致作奸犯科。無所不爲。甚而惑受左道。會結英雄。教從匪類。釀成風氣。變成賊黨。可見天下大亂之根。禍胎早伏於學校中矣。斯時也。或以文章報國乎。或以筆尖殺賊乎。或以多學保民乎。可惜一生精神。枉費幾多心血。胸羅萬卷。不值一錢。豈讀書之誤人賊人。莫不飲食也。鮮能知味也。縱有爲己之醇儒。宗大學定靜之功。崇中庸性命之學。莫不笑爲迂酸。鄙爲禪學。避譏刺之嫌。不敢顯揭其旨。亦惟獨善其身而已。假使當時之士彭非彭祖。老彭在商爲錢彭。在周曰伯陽。恐年久人疑。因更其名曰老彭。即老子也。

人。皆能痛改弊習。力挽頹風。講求實學。不尚虛文。遵孔孟之言行。隱居求志以樂道。存心養性以事天。能希賢希聖。迹非仙佛實乃學仙佛也。本至誠而贊化育。昌聖教以正人心。何難除邪崇正。撥亂反治。綿聖朝之鴻基。復先王之雅化哉。不然。順水流舟。伊于胡底。恐獲罪於天。無所禱也。非立言過刻。爲社稷憂。爲生靈計。不得不詞嚴義正。而淸其治平之源也。

孔子嘗告太宰嚭曰。西方有聖人。名之曰佛。不治而不亂。不言而自信。不化而自行。蕩蕩乎民無能名焉。問禮老聃。載在史記。論語竊比於我老彭。漢儒註疏。老老聃。彭彭祖。鄭康成去古未遠。考據甚詳。集註成於朱子門人。蓋不知而誤删之耳。孔子何故曰我老。彭因其爲師而有親之之詞也。若解作彭祖。我字固無着落。彼亦非傳述好古者。夫子告南宮敬叔曰。老聃博古知今。則爲吾師。與論語述而章恰合。大戴禮之商賢大夫即非人。

嘗輕二氏哉。余按二氏巔末。周昭王之庚戌。釋迦佛生西域。漢明帝之乙丑。佛教入中國。是佛老與孔子俱同時耳。倘教非合一。孔子胡不非之議之乎。而尊之信之且如此。此則世之輕闢佛老者。信口妄談。多見其不知量也。蓋世有聖人。佛老便可謝責故春秋有孔子。佛祖生當其時。不至中華。老子亦隱於柱下焉。迨思孟而後。聖學無傳。故漢唐以來。維持世道者。皆是佛老持援溺之神妙。運於虛無之中。人不覺耳。及至南宋。文教昌明。朱程輩出。而佛老亦退位焉。然溯其淵源。理學皆始於周濂溪。而濂溪則本於海巖和尚也。

從來談性理者。惟孟子最詳。闢異端者。亦惟孟子最嚴。佛老生孟子前。立教已久。豈不知耶。何以獨闢楊墨。而不闢佛老。可知佛老之道即仲尼一貫之道。非異端之流也。戰國時異端蜂起皆由性理不明。邪正莫辨。欲嚴禁異端。不得不詳說性理。性理明而異端自息。故孟子直指之曰養氣。又曰夜氣不存。違禽獸不遠。則知教人存心養性者。即存養其氣也。然氣難存養。其功最細密。行不慊心則餒。餒則梏亡。如斧斤之伐美木。牛羊之牧萌蘖焉。推之曠安宅。失本心。放良心。皆餒氣之謂也。皆不若雞犬之知求也。念及此。不禁發哀哉之嘆。哀者何。哀其氣已絕而心已死也。讀孟氏書。如遇喝頭棒。猶不猛省。眞木偶人耳。夫氣有先天後天之分。心中之靈氣。得於受生之初。則爲先天。身內之血氣充於運動之際。則爲後天。後天由先天發來。先天被後天耗散。故曰持其志。是教人養先天以攝後天。勿暴其氣。是教人養後天以保先天。先後無害。何難將日夜之所息。養成浩然之氣。配道義而塞天地。但不知集義所生。許多揠苗助長。如搬運、吐納、摸捺、數周天、煉外丹、安鼎爐。一切小術。固屬異端中之異端。卑不足道。更有談性理者。徒在口舌筆墨上爭勝負。全未反身而誠。自己體驗。則心無所主。語言支離。將一脈道統說出千頭萬緒。使人無從進步。此又理學中之異端。彼反嫁禍實惡而以異端加佛道。眞可笑也。吾勸世之養心性者。不必看丹經書。亦不必看性理書。恐無卓見。不知擇取。悞入理障。自惹魔軍。

唯將四書親切處。熟讀默會。字字印證身心。自覺聖賢立言之旨。恰照着我方寸說的。先儒云個個心中有仲尼。誠不誣也。嘗擬一聯云。中庸備我渾忘字。太極藏身難繪圖。亦此意也。否則書自爲書。人自爲人。與僧道誦經何異。終無益耳。

三教聖人。各行其是。不得執一格以相衡。如二帝之傳賢。三王之傳子。顯有公私之分。自孔子斷之。其義則一。又如禹稷之兼善天下。顏子之獨善其身。儼有人己之別。自孟子論之。其道則同。他如不告而娶之大舜。放桀伐紂之湯武。旣失忠孝。何以得爲聖君。西山之義士。東海之賢臣。兩途相反。何以兩端皆然。非認理圓通。從大處着目者。不能明此大義。識此大體也。世之闢道破至理。破盡天機。三教命脈。和盤托出。

二氏者。無異陳賈責周公之過。武叔加仲尼之毀。識見淺陋。拘泥鮮通耳。

佛老之心。慈悲爲本。任人貶駁。原不計較。無庸再三辨別。而不敢不力爲辨者。非偏好佛老也。但恐人避佛老之名。不講性命之學。孔門之心法失傳。堯舜之道脈永墜。而天下後世。不知所以爲人之的旨。其禍有不忍終言者矣。然斯時何嘗無理學君子。只知在發見處講求。不知在虛靈中默契。無本之學。弊必流於宋人偏必近於告子。明理學而反晦理學也。欲用存養之功。務識性體。方得主宰。何謂性體。未發之中也。中者何。包涵一炁而已。故曰一陰一陽之謂道。中也者。渾淪未兆。尚無陰陽可名。

故曰無聲無臭。大哉乾元。萬物資始資此氣也民受天地之中以生。受此氣也。存諸天則爲命。賦於人則爲性。故曰天命之謂性。若無若虛。退藏於密。寂然不動也。稍參人心。便失本體。故曰道心惟微。聖經云明德新民止於至善。佛經云諸相非相。即見如來。仙經云谷神不死是謂玄牝俱指此道心而言也。則二氏虛無寂滅之胸懷。即溥博淵泉之景象也。豈得謂心如死灰哉不得其門而入。豈知精微之奧哉。若得聞夫子之性與天道。當恍然於二氏之現身說法矣。

歷觀闢佛老之輩多在字樣上避嫌疑。如參禪之義。即尋樂之說。參得禪處便尋得樂處。字異而道同。有何分別。嘗考明道終危坐時即靜也。端倪即命也。得其命即得其藥也。

日端坐如泥塑。謝氏云坐如尸。坐時習。以及程子門人楊龜山傳羅豫章。豫章傳李延平。延平傳朱子。皆於誦讀之餘。危坐終日。以驗喜怒哀樂未發以前景象。觀朱子所著延平行狀自知。推之高景逸謂學者借靜中認此無靜無動之體。陳白沙謂學者須於靜中養出個端倪。且稱亞聖之顏子。曾用坐忘之功。開理學之濂溪。亦立主靜之極。由是觀之非同打坐參禪乎儒者爲甚避禪字如避聖諱御諱之嚴吾誠不解也豈與二氏有不共戴天之仇乎。不然何以疾之已甚。

天地之道一氣旋轉。時行物生。順其自然。此陰陽造化之妙氣也。而理存乎其間矣。既言氣何必兼言理如鳶飛魚躍本氣也而氣之所以能使飛躍者。即謂之理也。理就氣之神妙而言非氣之中別有一理。氣所充塞處。即理所散布處。一而二。二而一也。人之初生時。受其氣便得其理。人與天合。毫無加減偏端內具全體。故致中和能使位育。盡其性能參天地。可見天與人一體相關。一氣相通。念頭偶動。天鑒在茲。詩云上帝臨汝。勿貳爾心。此之謂也。又嘗思孔子之論鬼神。體物不遺。始悟人之一身。皆鬼神所貫注。人之身即鬼神之身也。十目十手。不待外來。身中鬼神。已明明指視於方寸之地。嚴乎不嚴。況相在爾室。神之格思。更有身外之鬼神。時刻監觀。使人無退藏之所。畏乎不畏。合而觀之。人生天地間。一身之內外。皆陰陽之氣所薰蒸。即鬼神之靈所照管。如魚遊水中。內外皆水。豈可逃乎。世之肆欲妄行者。愼勿謂視不見。聽不聞。荒渺無憑。任其放縱。而無所忌憚。須知天地鬼神。在此心窩。毫不可欺。人若不信。請看古今天巧報應。善惡分明。或早或遲。放過誰人。可畏可畏。勿忽勿忽

人本受氣以成形。依形以生色。形與色固賴氣爲之變化。亦賴氣爲之主宰。如耳目口鼻。能辨色聲香味。與德之能潤身。中之能形外者。俱由氣化之妙。非由官骸之靈也。故孟子曰形色天性也。天性流露於形色。見形色即徵天性也。奈人習焉不察。終身由之而不知其道也。若欲踐形以盡性。當法顏子之四勿。君子之九思。時時檢點。合夫天便是聖人。不然者。天性變而爲人

靜極而動。正是玄關。非盡性者不能發見如此。指玄關就天良

欲雖具人形已失人道尙得謂之人乎。

每談性理窮到源頭人多不解謂爲談玄。非聖學也。豈知儒者亦多談玄之處。如聖不可知之謂神。與及其至也。雖聖人亦有所不知。以及至誠如神。至誠能化。過化存神。與天地同流等句。非玄而何。玄也者。至精至微妙不可測。非若日用事物當然之理。確確可指也。然玄理幽深。雖無實際可名。却有端倪可驗。如怵惕惻隱。動於乍見之頃。喜怒哀樂。應於隨感之際。仁義禮智。徵於發端之時。自自然然。不假安排。感而遂通。此即玄關也。人人有此玄關而不悟。終陷迷途而未醒。能盡性者。無他道也。靜養玄關於未發之前。體認玄關於偶動之初。擴充玄關於既發

初發而言。使人易曉。

之後。古今聖賢皆養性之人。即通玄之人也。斷未有不通玄而能養性也。曾擬一聯。理窮盡處無文字。性養純時見道心。亦偶悟玄機耳。

孟子道性善。又曰道一而已。性善則人生而聖賢。道一則人皆可爲聖賢。何以自古及今。能爲聖人者。惟堯舜禹湯文武周孔。僅僅數人。不可多得。爲賢人者。億萬人中不過節取一二。推其故。皆由不知性之所以善。道之所以一。心無主腦。學多旁支故欲盡性而性終不能盡。欲明道而道終不能明。反不如二氏之脩煉。專在性善道一上參悟。得聖賢之眞訣。證無上之妙果。所以古來成仙佛者。如恆河沙數之多也。

天地初闢時。未有男女。五行妙合而成人。是以氣化人既有男女。陰陽交媾而成人。是以人生人受人之氣。即受天之氣也。故先儒云。明德者人之所得於天。德性者吾所受於天之正理。專言天而不言人也。可見人之天性。原有善而無惡。爲甚易於爲惡。而難於爲善。論者皆謂其氣稟有清濁之分。而未辨其清濁所由來。假使清濁稟於陰陽五行之氣。是上天先以清濁限人。而惡者得以辭其咎也。須知天以一炁生人。原無清濁。而人自爲清濁也。蓋未受生之前世。有心性養其極處者。其氣至清而無濁。有心性壞其極處者。其氣至濁而無清。有心性參其理欲者。其氣半清而半濁。更有理勝於欲。清多濁少者。欲勝於理。濁多清少者。如此等類。轉生人世。或爲上智。不教而善。或爲其次。一教即善。或爲又其次。久教始善。或爲下愚。終教不善。各人之根底。有清濁不同。而心性無異也。故三教聖人。專教人在心性上切實用功者。匪特洗濯今生習染之汚。並將歷劫所積之欲根。概行拔除。以復還其氣化之初。自無智愚賢否之分矣。所以生知安行。困知勉行。學知利行。始雖不類。終歸於一也。凡有血氣者。豈可舍心性而別爲學問哉

輪迴之說。古今人間有闢之者。在彼以爲渺而無據。我則信而有徵。殊不知天地人物。本一理也。嘗觀日月升降。寒暑往來。陰陽消長。終而復始。非天地之輪迴乎。草木榮枯。花菓開謝。昆虫

化生死而復生。非萬物之輪迴乎。至若甲子反覆。晝夜轉移。春夏秋冬。治亂興衰。循環不已。皆輪迴之考驗。況文昌經十七世爲士大夫。關聖由子胥五轉爲忠臣。孔子以水精子爲素王。顯然人道之輪迴。豈聖人尚有輪迴。而常人遂無輪迴乎。假使人死氣散。而無再生之理。則善惡無果報。而作善者必生退志。作惡者越發大膽。一言之差。害及人心。可不愼歟。

人有二身。神與形是也。神爲形之主宰。形爲神之宅舍。神去而形無用。形敗而神不壞。然神雖不壞。而視人之修爲何如。若念念存天理。則神清而氣爽。脫殼時無拘無束。必發揚而上升。則爲不失本性之神明。千變萬化。正氣充塞於兩間。若念念在人欲。則神昏而氣滯。謝世後若隱若見。必沉淪而下降。則爲迷失本性之鬼魂。千生萬死。邪氣固結於寸衷。則知爲神爲鬼。不待判於死後而已定於生前。地下閻王。亦如上天之栽培傾覆而已。堪嘆痴人。日夜不遑。祇知謀其無用之色身。徒貪數十年之榮耀。而不知養其不壞之法身。長享千百載之馨香。何其愚也。

神有元神識神之辨。元神者。從先天虛靈中自然而發也。識神者。從後天知覺中念慮而出也。如不慮而知。不學而能。隨感隨應。無作無爲。則爲元神。如逆詐億信。三思後行。用計謀爲。設法區處。則爲識神。元神與識神。非二也。有意無意之分也。故聖人心中。毋意必固我。仙佛心中。恍恍惚惚。如如不動者。皆何思何慮。靜養其元神也。元神凝聚則心中有主事至物來。不待布置安頓。自能泛應曲當。拘儒不悟。經心着意過於持守。專用識神必傷元神。元神傷則天性牿。應事接物縱識見高明。功業丕著名襲取其義。雜而不純矣。古語云名韁利鎖。又云人爲利名牽。韁鎖字牽字。下得極妙。名與利恰似兩箇解差將世人當作罪犯。用韁繩緊緊鎖住。牽向東西南北。過都越國。不畏寒暑不避風雨。不憚跋涉。不要性命。忙忙迫迫。勞勞碌碌使父母不相見兄弟妻子離散。及到氣衰力竭形枯病纏。只有一息尚存。決不饒他。必待眼光落地。交與陰差帶往冥府受罪去了。方才撒手。這兩箇解差不知有許大神通許多法術任爾英雄豪傑。無不被他管押。唯聰明聖智達天德者。始能打破樊籠。形神俱妙。高登彼岸。無有拘束。太虛卽吾神。萬象皆吾性。快何如之。學庸第一節。不但爲大中兩部之綱領。並爲四書五經之命脈。得其命脈。自能達天而希天。不屑爲記問辭章之學。何也。大學先言明德新民。而後言至善者。是由人道反還夫天道也。中庸先言天命。而後言率性修道者。是由天道貫徹夫人道也。則知天人合一。人道卽天道也。故曰道也者不可須臾離也。離道便違天。違天則爲天厭之人。縱有富貴功名。何足算也。人能守此道而弗失。則心爲天君。人爲天民。天與人雖有雲泥之隔。而道無彼此之分也。否則聖人之道。何以峻極於天。君子之道。何以察夫天地。夫道一而已矣。豈有二哉。則知人皆可爲合德合明合序合吉凶之大人。惜乎自暴自棄甘爲小人矣。

四書五經。章句雖繁。頭緒雖多。却是一串功夫。和盤打算無非教人先修天德。然後發爲日用事物之理。修齊治平之道。由體達用。水到渠成。自然行所無事。今之學者。依傍諸家講說。議論紛紛。逐節逐字。朝夕探討。畢究人云亦云。不知讀書何用。坐破寒窗。如在漆桶中過了一生。所以做不出忠孝事業。造不出聖賢學問。皆由讀書不得主宰耳。

塵世子弟。天姿清秀。靈敏非常者。不乏其人。而卒不能爲端人正士。反辱門敗戶。其故何也。有佳子弟無賢父兄也。蓋父兄素所期許者。在登高第。並未望其成好人。所以延師教訓。專在文藝上講求。德行陰騭。全然不知。可惜一個佳子弟。被幾個之乎也者。平上去入。弄成朽木糞土。頑石不如。兼之學館考場。最壞人品之地。嫖賭烟酒。驕傲滿假。無所不至。入其中者。鮮不受其汚染。雖生而知之者。亦難爲上等人也。

書不可不讀。書亦不必定要讀。蓋書之理。本古人心中之理。發之於文。載之於書。書即古人之心也。讀書明理。是以古人心中之理。感發我心之理。心心相印。固書不可不讀。然我心之理。既無異於古人。則古人書中之理。咸具於我之心。書又何必讀。雖聖人聞何必讀書之言。而以佞惡仲夫子。是惡其在師之前。禦以口給。非惡其悖理也。亦猶哂率爾之對。哂其言不讓。非哂其無才也。即使書當讀。務要變通。不可執着。何也。書中之言。有宜於處常。不宜於處變者。有宜於處窮。不宜於處達者。有宜於古時。不宜於今時者。有宜於此事。不宜於彼事者。有出於少時。不同夫晚年者。有出夫天分。不同夫學力者。有近於伯術。不合夫王道者。有流於隱怪。不合夫正學者。有固於己見。不合夫人情者。有寓意言中。立意言外者。有因人發言。就事立論者。有理欠圓足。辭不達意者。有專論綱領。不及條目者。有詳說博文。不言約禮者。有言之過當。解之失旨者。有殘缺錯訛。添改顛倒者。種種分辨。經傳子史。俱不能免。故孟子曰。盡信書。則不如無書。又日。信斯言也。是周無遺民也。詩書尚如此。餘可知矣。善讀書者。以良心去讀書。良心爲書之衡平。然後書爲我所採取。讀書方有益。不善讀書者。就書去讀書。不能探究。書爲我之疑案。我爲書所癡迷。我反受害於書。讀書者與其無益而有害。不如不讀。免添理障。以自蔽其心也。

孟子道性善。原無彼此之分。孔子言性相近。覺有參差之別。聖賢論性豈有異乎。蓋孟子所言。乃天命之性。自受氣而言也。孔子所言。乃氣質之性。就成形而言也。易曰繼之者善也。成之者性也。欲化氣質之性。當養天命之性。天性在惺惺不昧之中。時如戒懼。順其自然而已。

源清則流清。源濁則流濁。體用一致。斷未有源濁而流清。源清而流濁者也。故聖人以執中爲心傳。中者何。即性體也。性體若何。淵淵浩浩也。執中若何。至誠無息也。到此虛極靜篤之境。渣滓消融。天理渾然。體斯立矣。由性發情。隨時隨地。莫非天理流行。種瓜得瓜。種豆得豆。必然之理也。

孔子云。吾道一以貫之。是一本散爲萬殊。孟子云。萬物皆備於我。是萬殊歸於一本。吾字我字。最宜着眼。見得人之一身。道所寄托。關係甚大。天地人物。往古來今。皆賴有此身也。故聖經云。自天子以至於庶人。壹是皆以修身爲本。修身即修道也。道即心性也。世之不知道者。小視其道。徒在容貌辭氣之間。時加檢

點舍本逐末。是行仁義。而非由仁義行也。觀其外雖與道相近。而實與道相遠也

昔春秋戰國之時。多以强兵爲能。孔子則以俎豆折問陳之君。孟子則以志仁壓必克之臣。聖賢之挽亂世。尙德而不尙力者。欲人修德回天。自然轉禍爲福也。設不得已而用兵。必善人有七年之教。乃可以即戎。壯者有暇日之修。乃可使制梃。兵之關係甚大。可輕用哉。當今之世。烽煙告急。在朝在野者。徒謀禦賊之計。不思獲罪之由。且無有勇知方之士卒。徒假稱干比戈之雄風。以不教之民。强使之戰。是棄民於死地。互相殘殺。同一戕生也。如此行兵。不惟不能戰勝於賊。而反貽害於民。民皆曰。寧

遭賊。莫遭兵人彌怨而天彌怒所以十餘年賊風四起。各省不得安享太平者。皆由不知清源之道也。

人心道心在誠與不誠之分。誠則道心發見。形骸頓忘。別有一番氣象一番樂境。上下與天地同流。故至誠能化。至誠如神。至誠能聰明睿知。未見道心者。如聞說夢。必不信也然此境未易到也始用存理遏欲之功。漸至純熟。理不待存。而理自渾然。欲不待遏而欲自盡淨。恍惚渺冥之中。心花怒發。豁然貫通頃刻間超凡入聖。判若兩人。始知孔子之樂在其中者。樂此也。顏子之不改其樂者。亦樂此也尋得孔顏樂處。方見道心。斯時也稍參知覺。便落人心。一切神遊妙趣不知消歸何有。歷其境者。乃

於人心道心交界之機關體認親切眞見得人心惟危顚倒幻妄受無量苦道心惟一宇宙萬象冰融雪化危微精一豈易爲外人道哉

總之三家用功其最要者可約分二級第一級關鍵在體認道心儒謂之道心人心仙謂之先天後天佛謂之眞心妄心佛稱眞心現時無邊虛空無量世界皆消融於心而爲眞性必如是始合中庸體物不遺之眞體必如是始合孟子形性不二之眞體必如是始合仙家太極之眞體也未至乎此須漸用功不如是則三家各有偏見各有翳蔽不能免分爭不能免流弊第二級關鍵則恐眞心未圓滿而誤謂圓滿也何

也雖得眞心。而無始劫來。後天妄習。未盡消融。則眞心不圓。有時仍起性內性外之見。心內心外之分。不知眞心既圓。則後天即是先天。人事莫非眞性。心無妄則事事純眞。故無眞諦俗諦之別。文行忠信。文章性道。亦無眞假之分。惟其心眞故毫無渣滓。毫無隔閡。必如是始合佛家事事無礙法界。始合十玄六相之妙。始合般若重空之旨。必如是始合孔門無體無方。無可無不可之旨。必如是始合老子異名同玄。玄之又玄之旨。不如是則三家異地。各有偏見。各有不足。仍起分爭。且多流弊。總之性無內外。道無精粗。只是人有眞妄。遂有內外精粗之累耳。三家所居地位不同。僧人不可不出家。儒者不可不治國。道家則或介乎出家在家之間。三者缺一不可。如農工商之業不可強同。其所獲皆可為黃金。其所操之業。則各循其途。不可偏廢也。至若三家之階級。無論分至多少。而其始終要訣。不外捨私捨妄而已。孔曰克己。又曰無私。老曰無身。亦曰無私。佛曰我無我。法無我。蓋眾生本來是佛。只是自迷自誤。以至自陷自墜。於是始而偏倚。繼而循私。繼而相爭。繼而相傾相奪相殺。鼓動洪波。造成大亂。不外一箇私妄而已。

一貫心傳序

粵稽上古陰符著於鴻鈞。金剛闡於釋迦。中庸作於孔伋名雖各殊。理則一貫。揆其源本三教之心傳。溯其流實治平之良法也。三書傳世已久。而能識其中之奧蘊者恒鮮。如陰符一册。世人皆謂太公與周滅紂之奇謀。其中寓有幻術。莫能窺測。相沿二千餘年竟無幾人識其精義。探其玄妙。深負傳經之至意矣。至若金剛中庸二書。寰宇內奉爲儒釋之妙典。凡窮鄉僻壤。野叟牧童。皆知敬重。惜未明其旨趣。打入身心。雖朝夕焚香誦讀。如入暗室。不見一物。有何益哉。幸今運轉三千大會將啟。大緣將開。三教特命明圓道人。將陰符另作註釋。逐節詳解。發明玄奧。並將金剛中庸挾其要領會其宗旨著成二論語錄合刻名曰一貫心傳。披覽之餘。竊私喜曰。其義可謂明且詳矣。嗚乎噫嘻。此書一出。眞天下人之大幸。亦即萬世人之大幸也。書成請敘於吾。吾何言哉。吾又從何而敘之哉。然吾反覆思維不過敘其大略。何須別求甚解。若不重言以申明之。恐世人不識體中藏用。綱中提綱。博中反約。徒執井蛙之見。各分門戶。妄加品評。仍視爲老生常談。則三教之心傳又豈能成一貫乎。夫陰符三百餘言。首云觀天之道。執天之行。二語並包全經之體用也。天道實鴻濛一炁之主宰。天行屬陰陽五行之妙化。人與天地配爲三才。理與氣無稍歉缺。誠能窮理盡性以至於命。便與天地合德。日月合明。四時合序。鬼神合吉凶。任他變幻百出詭詐橫生。總不出二氣五行之中。易曰範圍天地而不過。曲成萬物而不遺。又云無思也無爲也。寂然不動。感而遂通天下之故。此非禮中藏用歟。人如識其體用。則陰符之義得矣。金剛三十二分。首以如是括全經。繼以無我爲究竟。終以能忍作功夫。數語已點命脈。經中或云布施。或云除三心。去四相。無非發明空實之義。此非網中提綱歟。人如明其綱領。則金綱之旨備矣。中庸三十三章。始言一理。中散爲萬事。末復合爲一理。數語足徵全體。篇中或言九經。或言三達德。五達道。不過推原本末之由。此非博中反約歟。人果會其約言。則中庸之道盡矣。合三書之妙義。

體之於身。造夫其極。出則成仙佛。入則爲聖賢。治平天下。直如反掌間耳。吾今不揣固陋。竊附蠡見。聊叙巔末。有心斯道者。諒不以吾言爲謬談也。吾再明告能識時務之俊傑。心懷治世之英才。見此書卽玩書中之理。明其理始不落下乘。不惑於世間凡夫法也。取法乎上。方知吾道一以貫之。實由天德而發爲王道也。何患不能用夏變夷。撥亂反治。復三代以上之風化耶。嗚呼噫嘻。此書一出。豈非天下人之大幸哉。又豈非萬世人之大幸哉。此序。

同治甲戌立冬日　　黃石老人序於安樂山居

陰符經註

赤水明圓光月老人註　及門諸子　同校

陰符經

陰者靜也。符者合也。脩行人坐到靜極時。所過者化。所存者神。不但與天地萬物。合成一體。即推二極之中。三教之內。六合之外。無不凝聚一團。渾合一炁。金剛云一合相者。即是不可說。大洞云千和萬合。自然成眞。中庸云性之德。合外內之道。及閱後出諸經。俱與陰符正脈。遙遙相映也。大哉此經。妙哉此經。秘傳玄玄之眞機。初開聖聖之心印。豈黃帝太公所能著哉。愚晤受吾師

三王古佛指示。係三十三天以上
鴻鈞老祖所作。歷年已久。數典竟忘其祖。妄言某時所出者固
多。假托某仙所解者亦不少。故吾
師命愚代註其立言之大旨。以引悟玄之高人。又恐道味淺嘗。
不勝其任。暗勅　黃石公默助成篇。間有首肯處。功不敢
居。非人之力。實神之靈。假手於人也。

觀天之道。執天之行盡矣。

此二句是全經之綱領。餘皆暢發其妙蘊。揆其著經之深意。
要不外教人法天而爲人。盡人以達道也。夫道非自天而開
其端。天實由道而生。其象道先夫天。天且弗違。正周子所謂

无極而太極也。无極者渾無朕兆。在陰陽未有之前。太極者含有微機。在陰陽將判之際。及其時至炁分而天始位乎其上矣。則知天之所以生人物者。即得此二極之道而順施之耳。既明夫天人一體之大原。不難內觀其心。反求諸身。以立其大體。體立而用即該。無論在朝在野。隨事應事。悉執夫自然流行之天道。以爲舵柄。毫不用智穿鑿。違天而干天怒。易云天行健。君子以自强不息者此也。蓋天道體也。天行用也。能觀能執。體用俱合夫天。則三教之心法。無他秘傳。不洩之天機。已洩盡矣。

天有五賊。見之者昌。

道本變化靡常。由一炁而初變爲陰陽二氣。由二氣而再變爲金木水火土之五行。變態已極。乾元大傷。順其氣機則相生。逆其氣機則相尅。生尅反覆。遂有生死盛衰之定數。人物固不免。上天亦難逃。故曰天有五賊。苟能見透此消息。急急主靜立人極。自能超出陰陽五行之外。而返還无極太極之中焉。造到此境。神遊象外。同於太虛。匪特數不能拘。即天亦賴我撐持。推以治人。則凡有血氣者。莫不尊親。生既榮而死必光。百世其昌。誰能及之。

五賊有心。施行於天。宇宙在乎手。萬化生乎身。

心爲天君。凡五行之屬。雖分具於五臟。皆聽命於一心。若心誤解性命。妄用女鼎。惡犯首條。罪無了日。可惡可憐。

以識神爲用。則五氣無異助强之三尸。即爲害心之五賊。若心以元神爲主。則五氣自能朝元於一竅。即爲養心之五寶。迨至養成浩然之氣。能塞天地而配道義。則天之所以施行者。即我之所施行。宇宙雖大。在乎我手。萬化雖多。生乎我身。以人道而代天工。其斯爲與天合德之大人乎。

天性人也。人心機也。立天之道。以定人也。

人之性雖得於天。天又從何處以予人。實受生之初。父精母血中。暗藏一點眞陰眞陽之靈炁。靜則謂性。動則謂命。是人之所賴以爲人者。恃有此性命耳。佛云發阿耨多羅三藐三菩提。發此性命也。道云無欲觀妙。觀此性命也。儒云慮后能得得此性命也。三教豈能舍此性命。而別有所脩乎。若論其近脈。固造端夫夫婦。而究其始基。實發源於二極。源遠流長。原亘古不壞之至寶也。奈人多爲血氣所用。不知善保天良。每將天性變爲人心。機巧詭詐。無所不至。夜氣不存。違禽獸不遠矣。苟欲盡人以合天。不外順天而爲人。人能順天。即立天道於人身。天定固能勝人。人定亦能勝天。何難之有。特患人自安於小成。不肯用力以盡人道耳。

天發殺機。移星易宿。地發殺機。龍蛇起陸。人發殺機。天地反覆。天人合發。萬化定基。

從來易姓受命。自唐虞揖讓而後。凡得天下者莫不殺伐用如此用兵。仁者無敵。

張也。然同一殺伐。郤有眞僞之分。僞者欲爭土地。妄動干戈。非出於伐暴安民之仁心。倖得祿位。非天所與。終難洗纂奪之罪名。眞則抱道在躬。賢豪自命。純養心性。淡忘功名。決不助叛黨以玷高風。縱當數至時可。猶不敢妄動輕舉。必仰觀於天。考其星宿移易而失度。則知殺機已發於天矣。俯察於地。見其龍蛇起陸而興災。則知殺機已發於地矣。天地既交變於上下。眞王必崛起於中原。於是相時而動。學發殺機。而佐湯武之伊

此篇原係斷簡精言奧旨不敢妄擬續貂故仍缺之以待高明

生者不生死者不死已生而殺生未死而

殺機之旨。呂祖從旁接聲曰。生者不生。死者不死。已生而殺生。未死而學死。則長生矣。今按呂祖此語。知殺機乃生死關學。死。則長。生。矣。此五句直達本源。非他說所能及。不洞明此旨。則不敢轉手。愈不敢撒手。更難望其了手矣。

頭。惜陳爲道士所迷。甫驚異而旋惑也。

性有巧拙。可以藏伏。

性具於心。渾淪無狀。正顏子心齋坐忘之候。肢體已墮。聰明皆黜。無所用其巧。亦無所用其拙。何巧拙之有乎。然謂性有巧拙者。乃後天氣質之性。或巧或拙。各有生知學知困知之不同也。人能克去私欲。復其本性。則巧者自藏其巧。拙者自伏其拙。化巧拙之偏性。而成渾然之天理。不用巧而巧。不可名常若拙而拙不可及矣。

九竅之邪。在乎三要。可以動靜。火生於木。禍發必尅。姦生於國。時動必潰。知之脩之。謂之聖人。

視弗見三何。諸家多解作反而。與上下文語氣不貫

人身九竅。上七下二。易於招邪者。惟耳目口三要。人欲禁其邪。不使入其竅。何必拘拘在三要用功。苟能先正其心。自然視而弗見。聽而弗聞。食不知味。三要雖具。儼成虛器。靜時固靜。動時亦靜。邪從何入乎。設不以正心爲主。任其邪念疊生。則內邪更勝於外邪。猶火生於木。而反尅其木。姦生於國。而反潰其國。以邪招邪。內外夾攻。身且難保。道從何成。故深知脩煉之聖人。功不外用。祇求天君泰然。百體自能從令。豈僅耳目口乎哉。

天生天殺。道之理也。天地萬物之盜。萬物人之盜。人萬物之盜。三盜既宜。三才乃安。故曰食其時。百骸理。動其機。萬化安。

盡性章多誤解作治化。須知下文人物天地。俱包在炁性中。性

天地何以爲萬物之盜。數盡則收。即盜其萬物之生機。萬物何以爲人之盜。物交則引。即盜其人之生機。人何以爲萬物之盜。欲用則取。即盜其萬物之生機。故謂之三盜。蓋生機既失。何以不相怨尤。而反相宜相安。此乃天地人物生殺互用之常理。暗受其害。而終不自覺也。然有形者。雖屢受其害。不過互盜其陰陽五行之雜氣。其盜猶小。若夫忘形之至誠。實爲宇宙大盜。不惟天地人物。雖盜彼之生機。而彼反普盜天地人物之元炁。何也。中庸云。能盡其性。則能盡人物之性。遂贊天地之化育。非暗以一己之元神。而盜天地人物同受之元炁。咸歸於方寸乎。故曰食其時者。得服食其元炁於至誠

乃大同之理。一盡而無不盡。

之時。美在其中之謂也。百骸理者。暢於四肢之謂也。動其機而萬化安者。發於事業之謂也。由本及末。適同夫混混之原泉。盈科放海。不難循序而漸進焉。

人知其神而神。不知其不神之所以神。日月有數。小大有定。聖功生焉。神明出焉。其盜機也。天下莫能見莫能知。君子得之固窮。小人得之輕命。

神有用不用之分。用則爲識神。常人所共知也。不用則爲元神。脩士所獨覺也。然所用之識神雖靈敏。不過識現在。悟成語。作佳文。善機謀。縱明如離婁。巧如公輸。亦祇循規蹈矩。知其當然之理耳。若不用之元神。自能探賾索隱。知往察來。通盜機之微。妙非過來人不能眞知。任爾聰通。說絕究竟。理隔、不得。

天達地。而成無窮之變化。當其恍惚發現之時。默運自然之週天。常與晝日夜月。小陰大陽合其往來之定數。聖功於此生。神明於此出。頃刻間能盜太極中未判之眞陰陽。以為成仙佛聖賢之眞命脈。即大舜無為而治之眞主宰。此點盜機。即不神之所以神處。玄之又玄。天地鬼神。尚不能窺測。而人豈能知見賊。易曰作易者其知盜乎。蓋易道之精微。悉從先天盜來。觀太極生兩儀數句。便了然矣。後之學易者。只知學占卦爻之吉凶。而不知學盜先天之妙訣。如此玄關。豈輕易示人。君子得之固窮者。窮指性之盡頭處言。謂已聞盜訣之君子。固守其窮如珍寶也。小人得之輕命者。命指天之與我者言。謂倖闖盜訣之小人。輕視其命如草芥也。知盜者當爲君子。勿類小人自招其譴也。

瞽者善聽。聾者善視。

耳目之視聽。皆神氣使然。瞽之目無所見。則兩目之神氣。畢集於兩耳。故耳彌聰而善聽。聾者之善視亦如是。由二者觀之。可知其少漏幾分神氣。即多長幾分聰明。耳目且然。何況久養元神元炁於胸中。圓圓滿滿。無少欠缺。豈有不大開智慧。別具無形之耳目。而與天視天聽同其量乎。會通此理。斷不忍損傷神氣。自必時刻加意而愛惜之也。

絕利一源。用師十倍。三反晝夜。用師萬倍。

克己工夫。切勿輕視。聖門問仁者多。獨告顏子。謝氏云須從性偏難克處克將去。誠哉是言。

利者剛利如鋒刃也。一源者性與命也。孔子曰吾未見剛者。剛本至大至剛之氣。不淫不屈。不磷不淄。眞難得見。人每誤認躁性爲剛氣。則陽勝陰虧。水不濟火。未得藥者。藥必難生。已結胎者。胎必終墮。故當絕去其利。始能得其一而探其源。如此克己。則用師指引之法言。不啻十倍受益矣。三反者纏綿之柔念也。晝夜者不息之天道也。大脩行人。必將溫柔和緩之念。反覆繼續。如天道晝夜之不息。則用師指引之法言。更不啻萬倍受益矣。此經上中下三篇。多隱寓柔能制剛之意。柔非委靡不振。是教人心平氣和。默化其躁妄也。昔尉繚子謂黃石公云。曾見張良卓犖絕羣。眞神仙中人。人中豪傑。

乃伊旦之流。但恐其柔弱不勝公曰柔能制剛。弱能制强。柔者德也。剛者賊也。弱者仁之助也。强者怨之歸也。果能柔弱方爲道器。後遇良於圯上。試之再三。見其温厚和平。泰而不驕。遂授以素書。大興漢代。有志者能以留侯爲模範。則在天之靈。無不默助而成其事矣。

心生於物。死於物。機在於目。

六根之害。心惟目更甚。何也。聲香味觸法五者俱非有形之物。動心尚微。害心猶淺。獨入目之物。顯有形色可據。入於目即擾於心。縱偶洗其迹。終難拔其根。顛魂弄魄。類於精邪。則人心之生死。反操權於物矣。觀其物來之禍機。猶不知迴光返照之法。非開門而自揖盜乎。故儒之四勿九思。皆以視爲首。二氏之淨六根。亦以眼爲先焉。

天之無恩。而大恩生。迅雷風烈。莫不蠢然。至樂性餘。至靜性廉。

觀天何言哉一章。始悟天之施大恩於萬物。本無成心。即如迅雷之震動。而萬物發榮。風之吹散。而萬物暢茂。儼有赫赫鴻聲可聞。而天實默默無知也。詩曰上天之載。無聲無臭。天之所以爲天者。究有何心哉。故至樂之人。性常有餘。而無不足之憂。餘則自餘。未嘗使之餘。至靜之人。性常淸廉。而無貪求之想。廉則自廉。未嘗使之廉。斯二者。亦如天之無恩。而大恩生。則知無心之化裁。最靈最妙。不可言矣。

當多覽徒
倣開初功

天之至私。用之至公。禽之制在氣。生者死之根。死者生之根。恩生於害。害生於恩。

此數句當提出禽之制在氣一句。以爲線索。全句中又專以氣字作主惱。禽者擒也。統攝之謂。制者造作之謂。言天以一氣統攝夫人物造作其形質。凡禀其氣者。生轉爲死。死轉爲生。生即是恩。死即是害。互相爲根。輪迴不已。夫氣本上天先得於二極之私物。用私而爲公。誰不長受其範圍。惟具大慧根者。能覷破造化之樞機。忙尋孔顏之樂處。不但不爲身家所牽纏。且不受陰陽所擒制。跳出三界外。渾合一炁中。塵世永絕。道炁長存。天地壞而我不壞。天地開而我隨開。則生死滔今天下。正不勝邪。明道者神妙。壞道者亦神教。由世人不知聖之所以聖。故受其惑耳。

愚害之苦。不知消歸於何有矣。

愚人以天地文理聖。我以時物文理哲人以愚虞聖。我以不愚虞聖人以奇期聖。我以不奇期聖。沉水入火自取滅亡。

孟子曰大而化之之謂聖。既入化境。淵淵其淵。深不可測。浩浩其天。大不可量。智者尚且難知。況愚人乎。奈人愚而不自知其愚。每挾管見以窺聖人。彼謂能精通夫天覆地載之文理者。可稱博學多能之至聖。我謂能默契夫時行物生之文理者。方算悟透玄德之睿哲。彼見其大智若愚者。認為不學之下民。遂以愚虞其聖。我知其和光混俗者。深藏待價之美玉。乃以不愚虞其聖。彼又見其聰明睿知者。疑有非常之數術。遂以異奇期其聖。我知其至誠如神者。只守不昧之虛靈乃以不奇期其聖。蓋人之所見。僅得其聖之皮膚。而我之所知。直通其聖之骨髓也。夫聖豈果有異於人乎。不過先得我心之所同然耳。顏淵曰。舜何人也。予何人也。有爲者。亦若是。顏子豈欺我哉。惜乎人皆可爲之事。每存畏難苟安之念。甘失赤心。樂染紅塵。不學三教門人。願爲地獄種子。如此痴迷。等於忿激之匹夫匹婦。遇水則沉。遇火則入。不可救藥。良可慨也。

自然之道靜。故天地萬物生。天地之道浸。故陰陽勝。陰陽相推。而變化順。

經首一句。突從天道說起。末數句始點出天道之發源。處處前後照應。未肯直洩天機。今確明明唱出。猶不反身。尋樂。徧是下愚。食蒙而已。

道德經曰。無名天地之始。始即自然之道。一極是也。二極之虛體。以靜爲主。靜極而動。自然生天生地生人物。不假一點作爲。天得一以清。地得一以寧。無非得此二極自然之道耳。道既分存於天地。始有陰陽可名。而究其陰陽初判之時。兩相對敵。原無偏勝之別。及陰陽既判而後。便有各勝之分。勝不驟勝。如水之浸潤漸漬。故曰道浸。有時陽浸夫陰。則陽漸長而陰漸消。陽勝夫陰矣。有時陰浸夫陽。則陽漸消而陰漸長。陰勝夫陽矣。彼此相勝而相推。亦是順其自然變化之道。非天地暗有所使也。此五句總結全經之奧旨。明點出自然二字。與靜浸順三字。義極精妙。法極簡易。特爲拈出明告修

士各宜信受奉行。庶不負
鴻鈞老祖著經望人之苦衷也夫
此經傳世已久字句多訛。茲經大佛校訂。共二百九十三
字。永遵勿違。

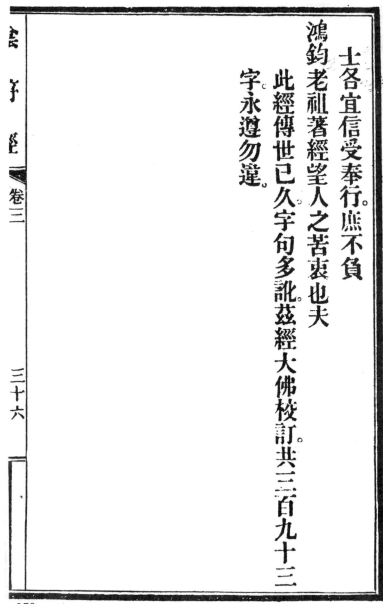

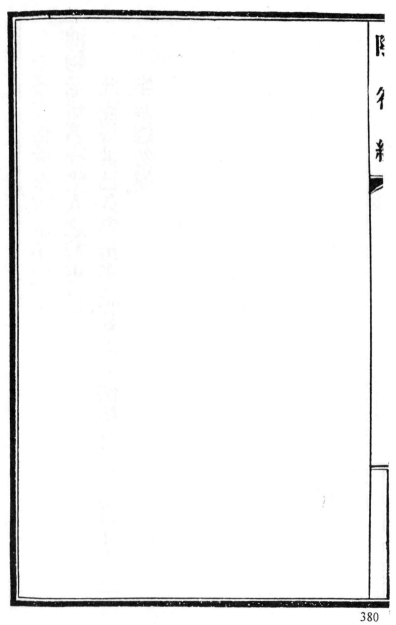

金剛一貫論

嘗觀先輩解釋金剛之精義。各有心得。各立名言。逐字逐句。徹始徹終。互相發明。固無餘蘊。奈參考之修士。眼界彌寬。而心曲彌亂。意欲照行。猶恐掛一而漏萬。且疑此是而彼非。雖將三十二分。一線穿成。一爐鎔化。故爲人演說者雖多。而信受奉行者無幾。豈不辜負我佛傳經普渡之慈悲。與先輩闡經善誘之血心哉。吾因不避庸劣。只期救世。特於全經中拈出一字。以爲線索。使人人易於醒悟。喜其至簡至便。不生畏難之心。必奮向道之志。則塵世凡夫。皆可作佛門弟子矣。線索維何。如十七分通達無我法一句。乃見性之的處。成佛之捷徑。但無我之法。尙隱下數句須細心默會。此先後天分界處。

而未露。復於二十八分中。一言道破。補出知一切法無我。得成於忍。此忍字即萬法歸宗。明示人以下手功夫。並傳如是二字之妙解。與大學誠意之誠字。正心之正字。同出一義。眞求放心之秘訣。修大道之心法也。我師救劫。大開法門。需人甚急。恐有志者反爲忍字所拘。長煉後天。道終難成。更詳點出忍字之火候云。忍於動處。化於未動處。忍與化何分。若念頭偶動。稍用不卽不離之微意。暫忍片刻。俟其無思無慮。氣靜神恬。漸忘我身於不覺。遂聽其氣機自化。於寂然不動之中焉。此無我之時。便是發阿耨多羅三藐三菩提心。與應如是住。如是降伏其心之時也。便是無人我衆生壽者。與過去未來現在三心不可得之若非上乘根基。宜用忍力強制。以攻其惡。

時也。便是離一切諸相即名諸佛與見諸相非相即見如來之時也。便是一切賢聖皆以無爲法而有差別。與應無所住而生其心。佛說般若波羅密。即非般若波羅密。是名般若波羅密之時也。便是信心清淨。即生實相。與此法無實無虛。實無有法之時也。便是應無所住。行於布施。與滅渡一切衆生。實無衆生得滅渡之時也。便是無法相亦無非法相。與實無所得之時也。便是一合相者。即是不可說。與如是知。如是見。如是信解。不生法相之時也。便是不取於相。如如不動。與如夢幻泡影露電。應作如是觀之時也。合而觀之。一部金剛經。以無念爲宗。靜到無我。念從何生。此之謂先天大道。爲發大乘者說。爲發最上乘者說。

久之自然純熟。微忍而我漸無。

非旁門小術。所能窺其萬一也。然不特金剛教人。從忍字下手。以無我為究竟。推之世人所常誦之心經聖元道德本行大洞等經。亦復如是。吾於各經中姑舉一隅。以啓三隅之反即如心經所言五蘊皆空。與諸法皆空相。以至無智亦無得等句。皆闡發無我時之眞際。下手在觀自在三字。返觀如何得自在。忍之自能自在。故附諸金剛經後。以示反覆叮嚀之意也。夫聖元與金剛一意相承。首分言修萬色無色廣法。次分言修煉淸淨大法。三分言萬法即非法。俱指無我時而言。下手在除妄去私四字。私妄如何得除去。忍之自能除去道德首章言玄之又玄衆妙之門。皆指無我時而言。下手在有欲觀竅無欲觀妙二句。欲三教聖人。俱由養心性造成。理法俱同。後學每因字面而分彼中此。誤矣。

者意也。意如何得自有而至於無。忍之自能無。本行經言凝神澄慮數句。亦指無我時而言。下手在斷障。障如何得斷。忍之自能斷大洞言眞陽帝賓老與長眠太无外。亦指無我時而言。下手在滅魔除穢尸。魔尸何以得滅除。忍之自能滅除。再推大學之止至善中庸之致中和。皆指無我時而言。至善之下手處。在明明德。中和之下手處。在愼其獨。獨何以愼。德何以明。忍之自能愼能明。至若書言允執厥中一中字。即無我之心傳。開儒門之道統。下手在去惟危之人心。人心何以得去。總不外夫忍之而已矣此一忍字之妙用。順其自然無作無爲。盡善盡美實爲三教之總訣也。苟不從此下手。非犯執着。即落頑空任爾用盡位天地。育萬物。燮理陰陽。俱是無我時之神妙。即中和之致也。

法術坐破蒲團。恐難修到無我之妙境。妙境既不得到。何以盡性而至命。過化而存神。故孔子之四絕。終以無我。大程子亦云。天人本無二。只緣有此形骸。便與天隔一層。除卻形骸即天也。形骸如何得除。但去其有我之私。便是。可見無我者。乃形骸之假我。非法身之眞我。眞我原囿於假我之中。假我既無。則眞我始見。我之眞我。渾然無迹。與太虛同體。即陰陽未判之太極也。設我徒有形骸之假我。顯然立於天地之間。則我固爲天地所生。若我返還夫太極之眞我。匪特可配天地。而天地且賴我撐持。萬物亦賴我發育。氣運並賴我周旋。何也。太極之眞我。即大哉乾元。莫載莫破。弗見弗聞之道炁也。由是觀之。形骸之假我。

呂云，無思無爲。寂然不動。非虛無寂滅而何。

豈可常有乎。太極之眞我。豈可偶失乎。且太極之眞我經億萬年而長存。而形骸之假我歷數十載而必壞。塵世庸流。輩棄眞愛假。無異買櫝還珠。固卑卑不足道。古今來許多名儒學士。每以虛無寂滅闢我佛者。（此是後天中先天誠。猶未至尚知有我）亦只知存理遏欲。洗濯夫明明朗朗之心地。而不知致虛守寂。（此是先天中先天誠到至處。已忘夫我）復還其渾渾淪淪之性天。縱能立言立功立德。不過爲俎豆長享之神祇。必難煉精煉氣煉神。可期造成蓮臺永坐之仙佛。下手雖差毫釐。證果已謬千里。推其故皆由體用之理未明。虛實之界未分也。吾今舉一當下見佛之妙法。以貫諸經。若網在綱。有條不紊。敢云獨有心得。發前人所未發。無非將素所聞於仙佛者。爲修士誦之。使其咸知學三世諸佛依般若波羅密（即儒之執中道之守中）。同得阿耨多羅三藐三菩提（即儒之至命道之得藥）。以渡一切苦厄云爾。

咏無我法七律七則

軀殼原來是假身。主翁常會乃爲眞（指命君）。忽然片刻逢奇遇。定卜千秋（萬古不壞）結夙因。（無我時之化境）超出陰陽還太極。（上下同流）彌綸天地現元神。凡夫亦許偶能到。只怕絲毫染俗塵。

七竅開時又一天（不到無我時此竅不開以天地萬物爲一體）。已忘形色在何團。專修性體僅成聖。兼採命根可煉仙。（無我時妙不可言）恰似捕風强捉影。眞難說（道隱無名）。妙善談玄。獨知獨樂獨心得。一字不能向爾傳。

求道何須遍訪師。口傳諸訣盡支離。心觀自在自然在。法用無爲無不爲。集義所生善養氣。（火候得定）谷神不死坐如尸。統言凡相皆虛妄。性見空空如也時。

三萬六千盡屬旁。正宗一脈久消亡。世情若不齊看破。（人心不死道）我相如何頓退藏。默化俗心凝至道。全拋濁質發靈光。能教凡骨須臾換。忍字法兒獨擅長。

蒙師點化廿餘年。大本大原始悟穿。似月分形能映萬。若綱在手可提千。羣經貫去片言盡。三教約來一線聯。龍不點睛終勿用。休誇妙畫筆如仙。

滿腹任藏四庫全。不明性體隔天淵。千經萬典且歸總。諸子百家更屬偏。珠笑仍還僅買櫝。魚憐未得難忘筌。道非深造逢源指出數十年開化之隱情。閱者應猛着鞭。因循混日。終成懦人。長陷孽海。

地。妙訣雖聞亦枉然。
根種前生今結緣莫欺大佛與金仙原因世運推窮數。故漏天
機指盡玄着意望人齊步後。沐恩委我獨開先。勤修道德經綸
備。治亂持危學聖賢。

中庸首章合論

此章書是一部中庸之綱領通章發明一性字程子所謂始言一理中散爲萬事末復合爲一理者亦卽此性也子思子逐次點醒體用兼該幽明俱到切勿節節分看以失立言之旨首言天命之謂性者指出性之所由來雖得於父母受生之初而天之所以與我爲德者卽在是也率性之謂道者指出性卽是道非日用泛泛然之道所同此道字與脩道之道道也者之道並未發之中及致中和等句俱指性體而言若不串成一片覺神氣多支離語意亦重複脩道之謂教者指出古聖先賢設教之本意原是教人脩性道以還其天命之理奈後學專在枝葉上

此道字若作日用事物看。與下文用戒懼愼獨之功不合。觀不睹不聞隱微字義。便知爲性體說。

講求。而失其所以傳心之法。於是教亦多術矣。蓋性與道、固無
所分。而率與脩、却有所辨。率者、天性未漓。不思而得。如堯舜性
之也。脩者、天性已蔽。日新不已。如湯武反之也。由是觀之。率性
者、不易得。脩道者、人所共由之路也。次節道也者二句。緊頂性
道說來。意以爲勿論知愚賢否。皆自道中生出。道乃得人生之
眞種子。決不可離。此道而別尋爲人之奇方。設須臾稍離。雖具
人形。無異木偶。亦猶夜氣不存。違禽獸不遠之切論。可惜百姓
日用不知。習焉不察。惟君子始能深悟夫無聲無臭之道。常存
於不睹不聞之間。時加戒懼。以保全之。餘皆抱道忘道。道雖終
身不遠夫人。人偏日日自遠夫道。蕩棄靈根。甘成頑物。眞可哀

道本自然。無爲而成。

金剛經所謂即生實相者是也。

此點隱顯。埋沒已久。不知何日昌明。

也。言至此。道已盡矣。然又恐拘泥之徒。或因不睹不聞之語疑爲荒渺無憑。不肯從虛靈處善養其自然之天眞。則負降衷之洪恩。獲罪無禱。乃復於不睹聞之隱微中。再示以見顯二字。暗含性光發時。大有被四表格上下之妙景。欲使學者。自悟虛中有實際。不敢輕忽剝喪。必學愼獨之君子。長保赤心。同爲聖教中人。此子思子深望天下後世守道之大願也。夫愼獨之獨。即隱微之地。隱微之地。即不睹不聞之所。愼者即戒懼之功。此三句是申明上節之餘意。非別有精義。更進一層之說也。如此詳辨。則性道之理雖已明。而性道之量猶未盡。故接言末後二節。以明莫載莫破之全量。令學人洞悉夫人可參天地之大本大昭昭一面。人多易解。冥冥一面。人鮮能識。

此段點出炁字是中和位育之實際。

此一段點明先天大

源。免安於小成而爲小器焉。夫末後二節。何謂爲全量喜怒節是由性道貫通於昭昭之事物。如聖經所言格致誠正。而遠推夫修齊治平之類也。致中和節。是由性道變理夫冥冥之陰陽。如孟氏所言過化存神。而暗與夫上下同流之類也。合而觀之。性果何物。乃先天太極中一點元炁是也。由一炁而生天地。天地得之而生物不測。人生陰陽五行。之氣皆由一所變此凡有形質者。莫不賴此一炁所造成。就形質分論。各具一靈氣。至誠候超夫天地之前。神遊象外。不爲。形質所桎梏。謂若能養到至誠候。四體頓忘。一靈獨存。氣爲先天大道機躍躍。充塞兩大。以炁聯炁。即以性投性。如水乳交融。故云發皆中節。致能位育。毫無阻滯。而有彼此之別也。吾今明告有志之修士。須着眼子思子咸從不睹聞與隱微未發之虛極處。指道並發性之妙訣，皆就性體發端。渾渾時，恰似陰陽未闢混沌之象，雖含光明，尚無機兆。

點先天之性道，匪特首章爲然。以下各章內，言費隱及至不見不顯、闇然潛伏、淵淵浩浩等句，其義一也。合全章而默識心融。覺道之通達於天下（天下二字包子臣弟友位祿名譽知仁勇九經在內一齊括開）者，尙歷歷可指；而道之退藏於宥密者，眞渾渾難名。既悟透性道之本體，常包含於虛無之中，如天命之不已，於於穆內，則知脩道之教，無他妙法相授。務從虛體下手。靜養其寂然不動之主宰，以俟其自然之神化，方得子思子作中庸以紹祖傳之眞命脈。可許入門而見美富。苟稍差一念，微落於後天之人心，便失天性，違道已遠。安望明善復初，保厥良知良能，而爲宇宙之完人耶。吾再補點性道之妙諦，發盡不洩之餘蘊，免學人疑信參半，可期大道復行於今日。試觀首章既此一段點出命字發前賢所未發之奧蘊。此點眞陽。即易之所謂乾元也。

敎學師長。未聞片語以悟道敎人雖上知亦難悟通

言莫顯夫微。鬼神章又言夫微之顯。衣錦章重言知微之顯。反覆叮嚀。而未露其所以爲顯者。性中含有命在也。(性命非兩)三微字即性也。三顯字即命也。(端木發爲性。發動爲命。故顯微合說。二而一也)命何以驗。靜到無我之極境。忽從微中發出一點眞陽來。此即天地人物同得於先天之元炁也。明則動。動此命也。久則徵。徵此命也。立大本。立此命也。知化育。知此命也。無爲而成。成此命也。亦孔之昭。昭此命也。擇善固執。執此命也擇夫中庸得一善。得此命也。謂爲中庸者。即性體也。擇者忽從中庸中尋着此一善。如探驪得珠也。聖門濟濟多士。獨提出一顏子能深造夫性命雙關之境地。始發高堅前後欲從末由之歎。足徵此等功夫。非中人以上不可語。故子思子處處渾而未

性命之理何況中下。故人心不正。天下大亂。三教之大用各不同。三教之全體毫無異。闢二氏者既不知性之所以為性。又焉知命之所以為命。實由於不知儒之所以為儒。乃皮相之士耳。

露。有若無。實若虛。寓意於言中。非箇中人不能窺測也。設無此確確實理。被四表格上下之性光。何由而發根。天命之謂性。以何而命人。孔云朝聞道夕死而可者。幸得聞此性命至道也。推之佛曰見性。性無形可見。見此命也。道曰煉性。性無質可煉。煉此命也。三教之心法。不差毫末。其揆一也。吾若不將此機關一齊道破。人皆以至微之聖道。視如鏡花水月。無從着落。不僅二氏傳經之法語。每讀其虛無寂滅之議。而一部中庸之名言。亦等於捕風捉影之談。解來解去。老死句下。終成理障。有何益哉。吾再詳言之。上節未發謂中之句。已含致中和在內。下節致中和句。又藏未發謂中在內。上節中和分說。是由體達用。下節中和統說。是以體該用。上節和字是有心推出。下節和字是無意流行。有心是識神。無意是元神。如此分別。則先後天之界限。判若眉目。不然。終成疑團。貽誤天下後世。聖學何由昌明。

讚中庸七絕十則

一部中庸發寸衷。教人字字反當躬。生初善性果能盡。天地與參在此中。

天機洩盡代天工。理向厥中大本窮。遠接唐虞近紹祖。古今道脈一齊通。

論到源頭誰不同。何分知者與愚蒙。欲除人欲復天理。謝絕萬緣用靜功。

有時文字盡消融。溥博淵泉擬太空。聲臭俱無眞道大。包羅南北並西東。

苦讀此書自幼童。三更已過燈猶紅。諸家講解都看盡。捉影不來又捕風。

孔樂原來藏我胸。欲求尋着悟中庸。始知希聖由脩道。可算入門得正宗。

至誠二字法包容。不使玄關一竅封。別有無窮眞妙趣。本來面目偶相逢。

道不可離教必從。休疑費隱難尋踪。明時則動見眞我。始悟皮囊是幻儂。

斯時邪教任橫縱。滅却綱常妄逞凶。道氣格天心厭亂。妖氛掃盡豈能容。
書同暮鼓與晨鐘。大夢喚醒性莫慵。閉戶潛脩非小補。暗消乖氣變時雍。

此三句是立教之綱領

諫心表

（拆開姓名字而喻言田日金取丹田日煉金丹之義）

特授日三省虛靈府、赤縣、教諭、田日金、奏爲倡率三教盡人合天事。臣蓬門寒士。草野儒生。曾讀詩書。畧知德行。沐愛惜之恩。菲材不棄。授教諭之職。薄德難勝。臣顧名思義。誠以教也者。原欲教以黜異崇正之大路也。（三教俱從此入門）教以悔過自新之實行也。（三教俱從此用功）教以明善復初之至理也。（三教俱從此結果）位雖卑而責甚重。職雖小而任匪輕。詎可苟且了事哉。臣固不辭家喻戶曉之勞。而終無風醇俗厚之效。反躬自思。我主操四肢百骸之權。握五臟六腑之柄。得失成敗。俱係夫此。與其命小臣以言教。而人未必從。（以言教者訟）何若立大體以德教（以身教者從）而民莫不興。是以齋戒沐浴。聚精凝神。冒罪具奏。詳明申表竊從天生人源頭說來。見得天人相關。必要合天心。方能盡人道。

此段敷陳後天渣滓。須用寡過未能之功。方能一一覺察。怙惡不悛者。何夢然不知。

思我主奉天命而爲君。繼天立極。號曰天君。天之命以作君者（天之與我。）即兼以作師也（何等鄭重）無非欲我主代天宣化。以助上帝也。臣嘗見我主不順天意。不保天良。不畏天威。不修天爵。明暗相參。邪正混淆。雖未荒迷於酒色。間爲酒色所薰。雖未貪好夫貨財。猶爲貨財所動。歷艱險固無怨尤。難言根株已拔。遇忿怒亦知涵忍。終覺芥蒂未忘。衣冠飲食。淡之而仍濃。兒女家人。遠之而復召。四相皆非忠良。何以隨罷隨用。五官俱屬貪酷。何以不識不知。時而策馬放縱。莫知其鄉。時而戲猿怠荒。遂失其正。忽焉被邪昏迷。光明臺宛若黑闇獄。忽焉爲物搖奪。清虛府無異鬧熱場。委靡不振。盜任竊取其官。武毅全無。賊敢爭奪其帥。見君子便鍾念初動時。當下斬絕。若稍姑寬。便難克治。

玉皇寶誥云。只爲中心一點。天堂地獄交分。始知天鑒之照。其在茲乎。

愛慕之情。甘願禮賢下士。接小人屢墮逢迎之術。不能遠佞辨奸。鍼砭弗肯痛下。聽舊病以纏身。囊錢每吝樂施忍窮民於當面。偶經裁成。恍受喝頭之棒。旋來感觸。如飲迷魂之湯。至若自是念。自欺念。自恕念。自顧念。以及得失念。生死念。安頓念。疑感念。種種妄念。擢髮難數。無不潛伏於隱微中。滿腔愆尤。半生積累。皆 臣所細審密查。如見肺肝者也。在君則以爲無妨。在 臣則悚然可懼。聖狂之關分於斯。人禽之界判於斯。上而祖宗之榮辱。下而子孫之吉凶。亦視夫斯。此乃無形之罟獲。無窮之陷阱。許多大英雄大福澤大根基。消歸於中而莫知避也。千里之謬。差於毫釐。苟不取法夫上。急學三代之君。勢必漸趨於下。終爲此段描寫先天靈妙。恰是高堅前後。欲從末由之境。

五霸之主。臣今者雖未若大人之能格其非。亦當效良史之有犯無隱。君勿謂多言而躁。臣猶有秘語相告。憶臣之事君。尸位五十餘載。長君逢君。罪實難逃。一旦忠直無私。前後判若兩人者。非無故也。臣見天下滔滔。隱懷避世之志。欲尋養性之區。謝絕塵囂。免受戕賊。因擬一聯。銘於知足堂以自警。櫟爲散木。斧能避。薪化殘灰。火尚傳。孰知一念感格。竟有仙翁飄然而至。相遇於不即不離之間。引臣至於無何有之鄉。廣莫之野。頓覺萬慮皆捐。纖塵不染。渾渾淪淪。灑灑洒洒。（孔顏樂處）別有洞天。適不猶人。隨意遊觀。漸入佳境。又引至一虛齋。（即坐忘之心齋）極其大無可擬議。（放彌六合。卷藏於密）狀其小難以形容。（知性天）倏而心花怒發。眞人出見。（即六之根蒂）四圍丹顏赤色。中有金光燦

天以一理生三敎合

爛。上懸一大匾。書痴消齋三字旁懸一長聯。書但求將我能忘却。惟恐把君莫奈何一語。顧而樂之躊躇滿志仙翁指而問曰。子今來此眞有緣人也。能解此否。臣 對曰不測神妙。請問仙翁。笑而答曰。世人不能脫離凡胎者無他。只緣痴於爲我。助君爲虐耳。欲換仙骨。須消盡其痴。欲消盡其痴。須忘却夫我。欲忘却夫我。須奈何其君。若把君莫奈何。則我之爲我。終成痴人而已。安望超昇耶。臣 又問此何地也。答曰無定在也。消痴便到。忘我便至。不能奈何其君。便相去億千萬里矣。金剛言應如是住者住此也。道經言天地之始者始此也。大學言止於至善者止此也從來仙佛聖賢俱由此齋中修煉而成也。臣 聞斯言。驚喜交

物交則引

三敎的旨一口

道破

人人有此齋自作門外漢耳

三教而闡一道。教雖異而道則同。

天以一理。賦人物。貫古今。何況三教。理豈有異。

此段議論。使高談雄

心道心判於幾微

集仙凡遂判於瞬息。逍遙遊變而爲人間世矣。故今之臣。非昔日故我也。行住坐臥。惟恐把君莫奈何。務引其君以當道。不得不詞嚴義正。不忍不反覆詳告。伏乞我主發天亶之聰明。闡道統之奧蘊。以寸衷爲明命。以三教爲綱領。決不類人之君子。天之小人。庶不負皇天眷顧之宏仁矣。夫三教之道。天特生以正萬世之天下也。教雖分而爲三。理則合而爲一。猶三綱之同一道。三子之同一氣。三足之同一鼎。又如水之異派同源。木之異枝同本。網之異目同綱。安有門戶之別哉。乃竟有專尚儒教之輩。而以虛無寂滅之說。闢佛老爲異端焉。試問儒所云至誠如神。至誠能化。神化之際。虛乎實乎。無乎有乎。又問孔子之四絕

辨者不敢饒舌

顏子之坐忘絕忘之時寂乎動乎滅乎生乎推之端木氏嘗言性天不可得聞孟夫子亦言聖不可知之謂神子思子嘗引無聲無臭以形不顯之德觀諸賢所論即道經所載玄之又玄佛經所載無所從來亦無所去之謂也靜言思之虛無寂滅乎非虛無寂滅乎又如堯舜禹三聖以天下之大事相傳第以執中一言命之中也者在喜怒哀樂未發之前無端倪可驗無朕兆可名非虛無寂滅而何蓋虛無寂滅者正欲淨理純之極非槁木死灰所同欲得大道未至此境而道不見必待此境而道始生何也无極而太極也靜極而動也動則有渾然發見之端流行變化之妙無作無爲空而不空此即明德之全體天下之大

本。知性命知化育。俱在此矣。由此觀之。三教之道脈。若合符節本無異也。所可異者。主三教之人。生知安行。皆自誠而明。以一貫萬。性之也。從三教之人。學知利行。皆自明而誠。由博歸約。反之也。或天道。或人道。究竟則一也。尤可異者。聖賢之移風易俗。如四時百物之昭著於目前。有形可驗。仙佛之贊化調元。如陰陽鬼神之充塞夫宇宙。無迹可徵。探其本原。咸欲平治天下。俾民安物阜。盡一點不忍之念耳。世之鄙儒。旁搜博覽。集腋成裘。徒以千萬卷充其腹。卒無一二語反諸身。彼之學問。不過托文字爲苞苴。假衣冠爲傀儡。仗高談爲門面。賽詭計爲道法。明明儒林中之異端。而反以異端加之佛老。狂妄已極。固卑卑不足夏蟲何可語冰。

如此比喩翻駁。令貶二氏者。唯唯而退。

道。間有篤信謹守之士。而少圓通活潑之機。只知從實處下手。未知從虛處悟道。達其用而未明其體。於是見二氏之書。多談幽深玄遠之理。令人意想不到。遂以爲荒渺無憑。而斥之爲異端焉。眞小知不及大知也。更有著書立說。昌明聖教之大儒。亦以佛老爲可貶。彼非不知聖教之奧妙。尙未參觀二氏之精微。恰似學易者。得卦爻之精義。唯知伏羲能通先天。而不識作彖辭之文王。作傳語之孔子。皆通先天之聖人。爲易道所不可缺者也。抑或貫徹夫三教。窮究夫底蘊。明知無優劣之分。而故作抑揚之論。意謂我本聖人之徒。當以聖教爲尊。挾私意以發言。失於偏而罔覺。斯人也。雖不愧爲孔門高弟。尤有我見未忘。痴指出三帝君。歷倒古今人。

情未消。故彼此之迹尚未化。若深造夫乃聖乃神之境。無人無我之地。萬物一體。道一而已。何有分別。何爭高低。故文帝則統言廣行三教。武帝則渾言印造經文。呂祖則稱爲三教宗師。匪特三帝君爲然。昔之理學名臣。廣見聞於青年。好清淨於晚歲。黜聰明而守虛寂者。不乏人矣。使臣不沐仙翁默化。參悟日久。亦井蛙耳。隨衆口而定褒譏。焉能洞悉如斯乎。臣觀今之三教。俱失其眞。儒之異端固多。釋道之異端亦不少。然三教雖各有異端。異其實尤未異其名。其害尚淺。最可患者另立教門。創言駭俗。習術誣民。意欲廢三教而獨興。各懷鬬志。互相爭能。愈爭愈異。愈異愈怪。愈怪愈假。異端蜂起。千支萬派。莫知所宗。毋惑此段功夫。將三教銘化一爐。謂為聖學也可。謂為道學也可。謂為釋學也亦無不可。

能合天者。生榮死光。受報甚隆。

乎世風日下。干戈靡止。天下大亂也。臣既縷陳夫教之源委。詳指夫教之弊端。稽首頓首。哀懇天君。特立卓見。痛除異端。斬絕萬緣。精習三教。先路獨開。後塵隨步。當思鑒察甚嚴。神無不在。莫謂退藏於密。人豈能知。黃庭寸地。道根從此發來。光月一輪。理障於今照澈。圓鏡常用。弗許微塵沾染。洪鍾任叩。原來本體空虛。謹防動輒得咎。時時靜養離宮。切勿感而遂通。刻刻安居天府。恭正南面而無為。治同大舜。譬如北辰之居所。德化眾星令而後天君泰然。豈僅百體從令。凡天下之各君其君者。莫不潛孚默化。同君其君。而歸於一道焉。（天人合）將見由天君而稱虛皇。由虛皇而稱覺皇。隱契乎維皇降衷之深意。則天保定爾。自得允不合天者。
生爲小人。
死爲下鬼。
受報甚慘。

居天位。允食天祿。允享天福。萬壽無疆。可爲我天君豫賀之矣。假令違天害己。欺世盜名。徒闡其道而不修其道。反借教以伏其奸。賴教以厭其欲。則陽爲三教之功臣。陰爲三教之穿窬。天鑒在茲。天譴必降。生遭無端奇禍。誰不斥爲名教罪人。沒受諸般慘刑。然後發爲地獄種子。則苦歷萬劫。欲再生樂土。重遇奇緣。斷不可得。斯時也。始信報施之不爽。始悔直諫之未聽。嗚呼哀哉。良可惜也。何其晚也。念及此。臣不禁大聲疾呼。大放厥詞。我天君應亦大夢驚醒。大放悲聲也已。臣又恐醒而復迷。悲仍好樂。不能始終如一。仍然功過參半。何貴革故鼎新乎。至再至三。百拜上奏。更乞我主將重言丁寧之諫章。銘諸肺腑。臣願代既能合天。便是聖賢流亞。仙佛種子。

侍讀侍講之責。作左史右史之監。臣之意始足矣。臣之言已盡矣。苟不因位卑職小。才疎學淺。視若罔聞。則君盡君道。臣盡臣道。君臣一德。方可焚香告天。諒不獲罪於天。則幸甚快甚。

天君批

覽赤縣教諭田日金所奏。可謂股肱大臣。能知心腹舊病。寡人願安承教。即刻下詔。頒行百體。惟令是從。曉諭五官供職無忝。今而後靜鎮絳宮。通飭迴避。高懸慧劍。禁止喧譁。雖不敢以堯舜自居。諒不至如桀紂所爲。但寡人有疾。寡人好貨。兼之好色好勇。撫衷自思。色勇兩端。猶能強制。或可拔除。惟貨財一件。纏身老疾。服藥罔效。習與性成。縱能克制。恐如王孫草。春風吹又生。願夫子輔吾志。明以教我。我雖不敏。請嘗試之。

學古薪傳

稽古帝堯。稽古帝舜。民到於今。共稱大聖。溯其生初。原同一性。人皆可爲。彼此何論。自失本心。自履邪徑。甘困風塵。志不肯奮。徒具官骸。獨不知慎。因隔雲泥。非天限定。欲學何難。先去偏病。十六薪傳。再追究竟。括以一中。先天混沌。中庸未發。二字詳審。大本暗含。道心虛渾。深藏乾元。端倪未震。混合陰陽。生機隱遁。放勳重華。在此先蘊。仁帥民從。推此爲政。文王純德。至此告竣。孔顏樂處。由此發憤。聖聖相承。心心相印。得聞天機。明告不吝。憶昔名儒。且多錯認。法用無爲。意誠心正。原始要終。盡性致命。守其自然。循序漸進。速實於虛。如光容鏡。妙不可言。毫莫加勁。

斯爲允執。無他學問。中道何來。太極發令。一點虛靈。聲臭俱泯。天以此生。人以此順。天人非遙。咫尺甚近。日月星辰。度數同運。胎卵溼化。源頭不紊。八德萬殊。任用難罄。六合放彌。載有餘剩。億萬斯年。貫無窮盡。造到蕩蕩。合凝方寸。位育參贊。才能可遌。謂爲中和。神化靈敏。此點主腦。鮮能拏穩。間關高風。人事謹凜。天德未修。隔中數仞。迹雖清高。心未潔淨。仁義必假。霸術相稱。未有源濁。流出不應。推之二氏。不殊一本。學佛學仙。別無功行。舍利玄珠。煉由本領。舍此廣居。悉屬迷陣。落於後天。性體有損。妙理悟通。誦讀短興。惟洗寸心。常清常靜。主翁惺惺。焉能蒙混。公卿貨殖。視若陷阱。耳目手足。當作泡影。樂在其中。無限美景所以二帝。讓位歸隱。淸淨自然。光圓放頂。下土頓離。上果永證。
出入兩全。先立其準。願學古人。幸有餘燼。種將滅亡。繼續宜迅。
勿怠勿荒。天君常鎭。美大聖神。漸入化境。莫甘下流。不敢躐等。
玄德升聞。四表光映。天性使然。人人有分。有爲若是。顏語可引。
與人同耳。孟言當聽。誰未讀過。少人思忖。徒盜虛名。筆墨充很。
歷考聖門。無此教訓。彼非不知。名韁所捆。當爲醨儒。勿染此症。
學帝克明。德亦稱俊。入聖超凡。民莫不敬。況處末世。更宜修省。
天地賴撐。綱常望振。世道衰微。夷風逼緊。去僞存誠。精神振頓。
天欲平治。其誰舍孟。隱憂庸夫。窺管坐井。時務罔知。大夢未醒。
觀天不悲。察人不憫。奪利類盜。設計爭勝。救火援溺。謝責不任。

天下滔滔。何日安靖。不自暴棄。三生有幸。伊旦太公禹皐孔聖。
道宗唐虞齊稱上品。不讓古人速效更甚。飢者易食渴者易飲。
萬邦協和。可期轉瞬。內外功成。乾坤同永。獨善兼善。充類至盡。
仙佛聖賢德堪與並。常理非奇。休疑弗信。請嘗試之。復生堯舜。
理應如斯。人道方盡。體用兼該。庶無遺恨。

修身

欲爲大人。先修其身。身繼道脈。天地可撐。身盡忠孝。百代芳名。
身爲志士。殺以成仁。身爲儒將。羣妖掃清。身不一樣。色法兩分。
色身是假。法身乃眞。勿修色身。當修法身。身何名法。用法煉成。
法何以煉。靜養元神。元神何謂。至道常凝。何爲至道。先天炁生。

炁即天性。聲臭無聞。毫不耗散。變化成形。亘古不壞。道炁常存。
無論老少。貴賤富貧。只要有德。只要有根。一口道破。畫龍點睛。
靈明常著。寶徹光騰。脫諸苦厄。妙化層層。不言而喻。大結奇因。
聖賢仙佛。同一法門。思修身者。幸勿因循。

養性詩　同治元年

世教久衰難振興。是誰無愧大儒稱，須全四箇强哉矯，莫誘一人聖者能，慶必有餘多善德，學知不足化驕矜。心傳十六言猶在。刻刻反躬道脈承。

讀書萬卷尚冥頑。樂處未能尋孔顏。一片虛靈無意得，半分渣滓盡心删。莫求雞犬曠安宅，常懼牛羊牧美山。細閱中庸參兩字。小人君子判其間。

時刻須知上帝臨。常存敬畏敢欺心。幾枝道骨撐天地。一點靈光貫古今。不受三尸潛播弄。自無六賊暗相侵，休云偏病終難化。誰肯頂門痛下針寄語高人修道家。栽培寸地自開花。無聲無臭形容盡。不睹不聞戒慎加。認理稍偏驅陷阱。去私未盡長萌芽。欲精學問無他道。心放即求毫莫差。

忙忙撒手向前行。洗盡俗腸學至誠。飛躍鳶魚機活潑。牢拴猿馬志堅貞。渾忘富貴浮雲視。靜鎮天君止水橫。歲月催人容易過。青年轉盼老先生。

文章詩字釣虛名。切已功夫養性情。氣足神完精飽滿。水流花放月圓明。心無塵垢耳同洗。眼有金光色亦生。自古英雄埋苦海。祗緣俗染誤前程。

千古聖賢是我師。如逢面命耳提時。良心不使斧斤伐。仁義休同杞柳爲。集木臨淵常警覺。援弓學弈暗支離。詩書道理傳心法。精奧須求莫相皮。

又 同治八年

書不反身等下愚。聖言百讀究含糊。中庸備我渾忘字。太極藏心難繪圖。能靜能安歸寂滅。至誠至聖煉虛無。孟言故者利爲本。火候點明會悟乎。

屏除外物莫能侵。由淺入門漸造深。靜不用功功即用。渾忘尋樂樂偏尋。理窮盡處無文字。性養純時見道心。坐到天人成一片。西方故里又親臨。

先掃六塵淨六根。初功便入德之門。愚夫愚婦同三寶。資始資

生共一元色相皆空方是我。形骸忽化且銷魂。故而已矣指明
性學者須知刻刻溫。
千生萬死限紅塵。雜妄循環種孽因。心固宜明明亮亮。道還在
渾渾淪淪。退藏於密隱無跡。不見而章虛擬神。尋得初時玄妙
物。參天贊地賴斯人。
隱培黃土長黃芽。不覺蓮開七朶花。人事有興終有敗。天良無
滅亦無加。大醇莫受小疵累。百感原由一念差。午夜提撕頻檢
點。痴情消盡是仙家。

爲學

朝朝苦讀未能停。綱領不知終渺冥。太極一圈涵萬象。中庸兩

字貫千經理歸易簡。須明體道在隱微。豈有形。多見多聞矜博學。反迷本性失虛靈。

性理愈談愈不醒。半明半暗似囊螢。道原費隱無聲臭。人不見聞絕視聽。客感屏除休擾擾。主翁鎮定自惺惺。虛中含實養虛處。虛極方知虛最靈。

小子不知所以裁。後天念重竅難開。聖門設教在修道。天德用功必有才。至善從空極後止。聰明自寂然中來。五車讀盡終何益。那識此兒眾妙該。

誰識身中更有身。色身是假法身眞。難爲脫殼乘雲客。恰似還珠買櫝人。耳目最頑猶傀儡。視聽極妙仗元神。勿從小體當從大學者只求德日新。

各有萬年不壞身。今生喪失斷前因。五官放蕩心無主。四體完全貌似人。後起念頭常縱欲。本來面目已封塵。仙班莫謂難修到。耗氣損精未養神。

自南自北自西東。都在廣居正位中。百世聖賢心尚印。九州老少性皆同。些些微妙藏千般。具許大乾地一氣通。知性則知天矣句。與中庸至誠盡性天地參同即釋之見性成佛道之原了成道朗然直步太清宮。

費隱圈

我獨攏一攤。單賣費隱圈。擬大大無邊。擬小小莫言天地人物都在內。聖賢仙佛概包完。有人識透向我買。照這樣兒印一圈賣一人來印一個。賣盡天下印不殘。圓圓滿滿藏於密。賣過一代賣萬年。趁早買。莫遲延。離此圈兒難上難。任你抱佛脚。無所禱於天。君若問的端。運會正三千。今天下溺矣。豈能以手援。濁氣盤空結。蕩滌實堪憐。打破大機關。切莫笑我顛。你若笑我顛。我更笑你憨。憨人本無緣。我不賣圈圈。

補闕樓記

金素隱居樓中。塵緣隔斷。心地清明。常靜坐自思。始悟我之一身官骸。每多闕陷。目不能看破紅塵世。則目已盲。耳不能常聽善言。則耳已聾。口不能闡明至道。則口已啞。身不能居仁由義。則身已棄。氣不能直養無害。則氣已餒。徒有形色而無天性。如此而謂之人。何殊木偶。言念及此。不禁淚下汗流。神消氣阻。俯首嘆曰。可惜六十年好光陰。都被我怠忽混過了。今者猛着祖鞭。猶幸軀殼尚存。精神未衰。志由我立。闕何難補。求其善補之法。莫妙於養性。性果養到盡頭處。匪特能補一身之欠闕而爲完人。且能盡性於人物。贊化於天地。並將天地人物之闕陷而悉補之。豈曰小補之哉。然此乃聖神功化之極。固不敢設如是想。顏子云。有爲者。亦若是。又何妨作如是觀。故名其樓爲補闕樓。令安居此樓者。常察其有闕而即補之。令登臨此樓者。盡知其有闕而共補之。更令得見此樓記者。生斯世。爲斯時。悲天憫人。思其有闕而大同補之。由是成己成物。皆得全受全歸。天下多好人。眼中無棄材。風波不作。壽域同登。是吾之願也夫。是吾之願也夫。

一貫心傳終

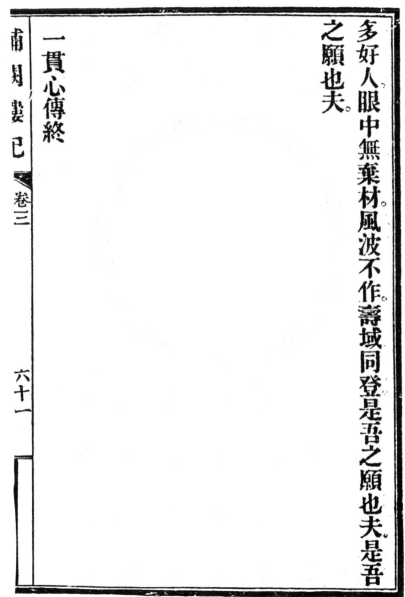

無極性命圖

識自本心
見自本性
無動無靜
無生無滅
無去無來
無是無非
無住無往